1 MONTH OF
FREE
READING

at
www.ForgottenBooks.com

By purchasing this book you are eligible for one month membership to ForgottenBooks.com, giving you unlimited access to our entire collection of over 1,000,000 titles via our web site and mobile apps.

To claim your free month visit:
www.forgottenbooks.com/free351820

ISBN 978-0-428-27502-0
PIBN 10351820

DER KAUTSCHUK

EINE
KOLLOIDCHEMISCHE MONOGRAPHIE

VON

Dr. RUDOLF DITMAR
IN GRAZ

MIT 21 FIGUREN IM TEXT UND AUF EINER TAFEL

BERLIN
VERLAG VON JULIUS SPRINGER
1912

Druck der Spamerschen Buchdruckerei in Leipzig.

Herrn Dr. D. Spence,

dem Direktor des wissenschaftlichen Untersuchungslaboratoriums
der Diamond Rubber Company in Akron O.,

gewidmet

vom Verfasser.

Vorwort.

Das Wesen des Kolloids ist Unstabilität
deshalb ist das Leben an den kolloiden
Zustand geknüpft. *Πάντα ῥεῖ.*

Als ich vor Jahren mein Werk „Die Analyse des Kautschuks, der
Guttapercha, Balata und ihrer Zusätze mit Einschluß der Chemie der
genannten Stoffe" schrieb, war ich überzeugt, daß sich alle Vorgänge
und Erscheinungen bei der Gewinnung und Verarbeitung des Kautschuks in einfacher Weise auf chemischem Wege entweder schon
erklären lassen oder erklären lassen werden. Seither nahm eine neue
Spezialwissenschaft der Chemie, „die Kolloidchemie", einen mäch-
tigen Aufschwung. Ihre Lehren konnten nicht ohne Einfluß auf das
typischeste aller Kolloide, auf den Kautschuk, bleiben. Eine Unzahl
von Erscheinungen bei der Gewinnung des Rohgummis (Koagulation
des Latex, Leimigwerden, Paraflecken usw.) und bei der Fabrikation
(Vulkanisation, Vulkanisationsbeschleunigung durch Zusätze, Mischungen, Schwindflecken, Adsorption und Diffusion von Gasen durch
Kautschuk usw. fanden plötzlich ungezwungene Erklärungen, was auf
Grund kristalloidchemischer Auslegungen nicht möglich war. Aber auch
die mechanischen Prüfungen des Kautschuks wurden durch das immer
weitere Eindringen in das Wesen der Kolloidchemie in ganz neue Bahnen
gelenkt. Materialprüfungsämter waren früher auf das eifrigste bemüht,
die mechanischen Prüfungsmethoden der Kristalloidchemie auf die
Kolloide zu übertragen. Sie arbeiteten die allerfeinsten Apparate
(Schopper-Dalénsche Prüfungsmaschine, Abnützungsapparate usw.)
zur mechanischen Begutachtung von Kautschukproben aus. Da lehr-
urplötzlich die Kolloidchemie, daß Kolloide unstabile Systeme vorstellen, daß Kolloide Alterskurven besitzen, und die schönen mühet
vollen Arbeiten der Ämter haben in ihrer heutigen Form für die Praxis
nur mehr geringen Wert. Die Vorgeschichte des Kautschukkolloides
ist wie bei allen Kolloiden von weitgehendem Einflusse auf das Endprodukt, auf das Vulkanisat. Damit lassen sich mechanische Qualitäts-
gutachten von einem Prüfungsamte nur dann mit allen ihren Folgen
abgeben, wenn der Fabrikant die Vorgeschichte seines Kautschuk-
prüfungsstückes von der Kautschukpflanze an bis zum fertigen Vulkanisat angeben kann und wenn er in der Lage ist, auch Angaben und Zeit-
kurven über die Koagulation des Latex, das Liegen bis zur Verarbeitung,
die Waschdauer, Mischdauer, den Vulkanisationsprozeß, das Ruhen
nach der Vulkanisation bis zur Prüfung usw. abgeben zu können. Die

meisten dieser Daten kann man sich gar nicht verschaffen. Außerdem
kennt man aber gar nicht alle, das kolloide System später beeinflussende
Faktoren. Ist aber auch nur einer dieser Punkte (z. B. der Koagulationsprozeß) unbekannt, so können schon unrichtige mechanische Gutachten entstehen, und eine Firma könnte beispielsweise durch unrichtige
Angaben der Ruhezeit nach der Vulkanisation bis zur Prüfung im Amte
leicht einen Attestvorteil durch ein solches Gutachten vor einem fak-
tisch besseren Vulkanisate einer anderen Firma erzielen. Es ist ein
ungeheueres Verdienst der Kolloidchemie, Licht auf diese
Erscheinungen geworfen und die Industrie vor Schaden bewahrt zu haben.

Wie es mit den mechanischen Prüfungen steht, verhält es sich auch
mit den Vorarbeiten am Latex zur Erzielung des besten Kautschuks.
Solche Untersuchungen versprechen wegen der Unstabilität kolloider
Lösungen nur dann einen Erfolg, wenn sie an Ort und Stelle des
Milchflusses durchgeführt werden. Gerade in dieser Beziehung wurde
aus Mangel an kolloidchemischen Kenntnissen in letzter Zeit viel
und schwer gesündigt, indem solche Arbeiten in europäischen
Städten an lange Zeit verfrachteten Milchsäften durchgeführt
wurden.

Auch beim synthetischen Kautschuk geht das Streben nach
einem hoch aggregierten Kautschuk. Während der Isoprenkautschuk von den Elberfelder Farbenfabriken in einer hoch aggregierten
Form erhalten wird, erwies sich der β—γ-Dimethylbutadienkautschuk
als ein „Blender", wie sich Dr. F. Hofmann, der berühmte Kautschuk-
synthetiker, ausdrückt. Der β—γ-Dimethylbutadienkautschuk wird
leimig. Nur auf kolloidchemischer Basis wird es möglich sein, diesen
Blender und andere stark dispergierte synthetische Kautschuke in eine
aggregiertere Form überzuführen.

Es soll an dieser Stelle nicht unerwähnt bleiben, daß die Kolloidchemie heute auf dem Kautschukgebiete vielleicht schon etwas zu weit
gegangen ist, indem einzelne Theoretiker (Wo. Ostwald) alles Frühere
einfach über den Haufen werfen wollten und alle Erscheinungen nur
kolloidchemisch zu erklären bestrebt sind. Auch davor muß ge-
warnt werden. Die Prozesse in der Natur verlaufen nicht nach einem
Gesetze. Hunderte von Gesetzen weben sich bei allen Prozessen in-
einander zu einer wunderbaren Harmonie. Jeder Zustand der Materie
stellt die Resultierende einer Unzahl von Komponenten vor. Nirgends
kommt dies mehr zum Ausdruck als beim Kautschuk. Neben einer
kolloidchemischen Reaktion laufen auch stets rein chemische
Reaktionen. Beide Prozesse verlaufen nebeneinander und miteinander und beeinflussen sich gegenseitig. Es soll in diesem Buche kein
Gegensatz geschaffen werden zwischen Kolloidchemie und Kristalloidchemie, sondern beide Lehren sollen zur Erforschung der Wahrheit
herangezogen werden. Von diesem Gesichtspunkte ausgehend, wird die
weitere Entwicklung der Kautschukchemie auf einer gesunden Basis
stehen.

Ein Kritiker warf mir beim Erscheinen meines letzten Werkes „Die Synthese des Kautschuks" vor, ich brächte zu viel Experimentales und ziehe daraus zu wenig Schlüsse. Ich bedauere aus dieser Kritik auch diesmal keinen Nutzen ziehen zu können. Für mich bleibt das E x p e r i - m e n t das W e s e n t l i c h e. Wir haben auf dem Kautschukgebiete noch viel zu wenig Experimentalmaterial, um e n d g ü l t i g e Gesetze ableiten zu können. Auch eine zu strenge Kritik der bestehenden Arbeiten halte ich auf dem kolloiden Gebiete vorläufig nicht für angezeigt. Wir erlebten es in den letzten Jahren schon zu wiederholtenmalen, daß einzelne von ihrer Unfehlbarkeit überzeugte Chemiker die Be- obachtungen anderer als „längst abgetan" bezeichneten, während sich gerade diese Beobachtungen als sehr wertvoll für die weitere Ent- wicklung der Kautschukchemie erwiesen.

Mit diesem Werke, welches die Kautschukchemie von einem ganz anderen Gesichtspunkte als bisher betrachtet, gebe ich durch Experi- mentalmaterial gestützte Ideen hinaus, von denen ich hoffe, daß sie ebensoviele G e g n e r als F r e u n d e finden mögen, denn nur durch Gegner- schaft kommt man der Wahrheit näher. Ob diese Ideen ihre Richtig- keit haben, darüber hat erst die weite Zukunft zu entscheiden. Vorläufig stehen wir noch am Eingangstore einer neuen Zeit. Jedenfalls lohnt es der Mühe auch einmal von diesem Gesichtspunkte aus die Kautschuk- chemie zu betrachten und zu diskutieren.

Graz, im September 1912.

R. Ditmar.

Inhaltsverzeichnis.

I. Allgemeiner Teil: Der Kautschukkohlenwasserstoff im Lichte der Kolloidchemie.

Wo. Ostwald: Grundriß der Kolloidchemie.
H. Bechhold: Die Kolloide in Biologie und Medizin.
R. Zsigmondy: Kolloidchemie.
K. Arndt: Die Bedeutung der Kolloide für die Technik.
R. Ed. Liesegang: Beiträge zu einer Kolloidchemie des Lebens.
P. P. von Weimarn: Grundzüge der Dispersoidchemie.

Zu den Kautschukkohlenwasserstoffen rechnet man den Kautschuk, die Guttapercha, Balata und die verschiedenen Pseudoguttasorten. Diese Produkte gehören alle mehr oder weniger in das Reich der „Kolloide". Unter Kolloide oder Dispersoide versteht man heute mehrphasige oder heterogene Systeme von bestimmtem Dispersitätsgrade. Der Name „Kolloid" hängt mit dem griechischen Worte χόλλα der Leim zusammen und sollte ursprünglich den „leimartigen" Zustand dieser Körper charakterisieren. Der Name stammt vom englischen Chemiker Th. Graham, welcher im Jahre 1861 einen Gegensatz zwischen „Krystalloid" und „Kolloid" aufstellte. Stoffe, welche in Lösung durch eine Pergamentmembrane diffundieren (dialysieren), nannte er Krystalloide, die von der Membrane zurückgehaltenen Stoffe bezeichnete er mit dem Namen Kolloide. Für Graham waren Krystalloide und Kolloide zwei verschiedene Welten, fast zwei Gegensätze. Heute denken wir ganz anders über diese beiden Zustände der Materie, wir wissen, daß alle Arten von Übergängen zwischen ihnen existieren. Natura non facit saltus. Unter „Phasen" ($\varphi\alpha\acute{\iota}\nu\omega$ = erscheine) versteht man nach Wilh. Ostwald durch physische Trennungsflächen gegen einander abgegrenzte Teile eines Gebildes. Wo. Ostwald, der Sohn des ersteren, definiert in seinem Werke „Grundriß der Kolloidchemie" Phase folgendermaßen: „Unter Phasen versteht man zunächst solche räumliche Gebilde eines der physikalisch-chemischen Betrachtung unterworfenen Gebildes, die in sich gleichförmig sind, von den anderen Gebieten des Gebildes jedoch durch sprungweise oder unstetige Übergänge geschieden werden." An diesen sprungweisen Übergängen finden sich physikalische Trennungsflächen, Oberflächen vor. Die Heterogenität zeigt sich somit in verschiedenen Arten und Graden. Ein Gemisch von Öl und Wasser enthält 2 Phasen, nämlich Öl und Wasser. In einem heterogenen System, also in einem Kolloid, haben wir eine räumliche Kombination gleichzeitig vorhandener (koexistierender) Phasen. Sehen wir z. B. von den Verunreinigungen des Latex ab, so ist der Latex ein Kolloid, ein heterogenes System, bestehend aus zwei Phasen, nämlich Kautschuk und Wasser. In einem Kolloid können die verschiedensten Kombinationen eintreten: nur flüssige Phasen, lauter feste (sehr häufig bei den Kautschukmischungen), feste und flüssige (bei den Kautschuklösungen), gasförmige und feste (Erscheinungen an Ballonstoffen), gasförmige und gasförmige (nur kurz beständig, da Mischung eintritt) usw.

Wir haben „makroheterogene" und „mikroheterogene" Systeme zu unterscheiden. Der Latex oder Kautschukbenzollösungen gehören zu den „mikroheterogenen" Systemen; der Kautschuk läßt sich nicht durch ein gewöhnliches Filter von der Phase Wasser im Latex trennen, weil sich die Phasen unter außerordentlich großer Oberflächenentwicklung berühren und die Phasen innerhalb des Systems so verteilt sind, daß das ganze System äußerlich homogen erscheint.

Die Kolloide bilden in Flüssigkeiten Lösungen, welche man „Sole" nennt (solutio-Lösung), man spricht von einem Kautschuksol. Scheidet man den gelösten Stoff aus dem Sol ab ,so erhält man ihn als „Gel" (Gelatine).

Die Sole bestehen meistens aus so großen Molekeln, daß sie die Poren einer Pergament- oder Tiermembrane nicht durchdringen können. Die meisten Kolloide zeichnen sich bekanntlich durch ein sehr hohes Molekulargewicht aus, z. B. Eiweiß, Stärke und Kautschuk. Einzelne Forscher unterzogen sich der aussichtslosen (wir werden später hören warum) Arbeit, Molekulargewichtsbestimmungen an Kolloiden auszuführen. So fanden Gladstone und Hibbert als Molekulargewicht des Kautschuks 6504 und in neuerer Zeit Hinrichsen und Kindscher 3173.

In einem zweiphasigen dispersen heterogenen Systeme oder in einem zweiphasigen Dispersoid — wie man zu sagen pflegt — nennt man die fein verteilte Phase die disperse Phase (dispers = zerstreut, verteilt), das Lösungsmittel hingegen, welches das dispergierende Medium darstellt, heißt in kolloiden Systemen das Dispersionsmittel. Im Latex ist der Kautschuk, oder sagen wir besser die Kautschukkügelchen (Globuloide) die disperse Phase, das Wasser stellt das Dispersionsmittel vor. Im zweiphasigen Dispersoid Benzolkautschuklösung ist Kautschuk die disperse Phase, Benzol das Dispersionsmittel. Bei einer Kautschukschwefelrohmischung haben wir zwei feste Phasen, die Phase Kautschuk und die Phase Schwefel. Hier ist der Schwefel die disperse Phase, Kautschuk das Dispersionsmittel. Das Gesagte ist aber nur im idealen Falle als zweiphasiges Dispersoid aufzufassen. In der Praxis ist der Kautschuk niemals Reinkautschuk $C_{10}H_{16}$, sondern ist stets mit Harz, Pflanzeneiweiß usw. vermischt. Die feste Phase Kautschuk setzt sich also wieder aus einer Anzahl Teilphasen zusammen. Nachdem aber diese Teilphasen in einem Stück gewaschenen und getrockneten Kautschukfell stets gleich bleiben, so können wir auch das Gemisch als eine feste Phase betrachten. Ändern sich die Teilphasen, dann ändert sich sofort das ganze System, was man bemerkt, wenn man Kautschuk mit verschiedenem Harzgehalte verarbeitet.

Die Dispersoide zeichnen sich durch eine außerordentlich große Oberflächenentwicklung aus. Nach Wo. Ostwald können wir in einem zweiphasigen kolloiden System dreierlei spezifische Oberflächen unterscheiden:

1. $\dfrac{\text{Absolute Oberfläche der gesamten dispersen Phase.}}{\text{Gesamtvolumen der dispersen Phase.}}$

2. $\dfrac{\text{Absolute Oberfläche des Dispersionsmittels.}}{\text{Gesamtvolumen des Dispersionsmittels.}}$

3. $\dfrac{\text{Absolute Oberfläche des Dispersionsmittels.}}{\text{Volumen eines einzelnen Teilchens der dispersen Phase.}}$

Jede Oberflächenänderung im dispersen System an einer Phase bedingt unbedingt spezifische Oberflächenänderungen an der zweiten Phase und kann auch die dritte spezifische Oberfläche beeinflussen. Versetzen wir beispielsweise einen Latex mit Alkohol, dann nehmen alle drei spezifischen Oberflächen ab (Koagulationsvorgang). Je nach der Konzentrationsänderung des dispersen Systems durch Alkohol ändert sich auch die Größe der dispersen Teilchen, also das Aussehen des Kautschukgels. Nicht alle Kautschuklatices lassen sich durch dieselben Methoden koagulieren, weil die spezifischen Oberflächen der dispersen Phase und des Dispersionsmittels verschieden sind bei den einzelnen Latices. Das beste Beispiel hierfür ist der Latex von Hevea brasiliensis und der Latex von Funtumia elastica. Die Heveamilch wird durch saure Lösung sehr leicht koaguliert. Fügt man hingegen die gleiche verdünnte Säure zum frischen Latex von Funtumia elastica, so tritt keine vollständige Koagulation ein. Erst beim Erhitzen des Latex kann man eine solche erhalten. Beim Milchsaft von Kickxia africana versagen nach E. Fickendey die gebräuchlichsten Koagulationsmittel. Für dieses abweichende Verhalten ist die spezifische Oberfläche des dispersen Systems verantwortlich zu machen. C. O. Weber führte bei der Castilloamilch das Verdünnungsverfahren mit Wasser als praktische Methode zur Kautschukbereitung ein. C. Kinzelbach und Zimmermann wandten diese Methode erfolgreich bei dem Kickxialatex an und E. Fickendey fand, daß der Aufrahmungsprozeß erst bei sechsfacher Verdünnung der Milch mit Wasser vor sich geht. Gewisse Kautschuklösungsmittel bewirken ein stärkeres Wachstum der Oberflächenwerte des Kautschukgels als andere. So wird die spezifische Oberfläche des Kautschukkolloids durch Chloroform und Tetrachlorkohlenstoff mehr vergrößert als durch Benzin.

Die Größe der Globuloide (Kautschukkügelchen) in der Kautschukmilch.

Denken wir uns eine Kugel mit dem Durchmesser von 1 mm. Wenn wir diesen Durchmesser immer weiter durch 10 teilen und uns die durch diese Teilung erhaltenen kleineren Kugeln in ihrer Oberflächengröße vorstellen, dann können wir uns am besten ein Bild von dem Wachstum und dem Einfluß der Oberflächenwirkung in Kolloiden machen.

1 mm	Durchmesser	
0,1 ,,	,,	
0,01 ,,	,,	
$1\,\mu = 0{,}001$,,	,,	
0,1 μ	,, Grenze mikroskopischer Sicht- barkeit.	
0,01 ,,	,, Grenze ultramikroskopischer Sichtbarkeit.	
$1\,\mu\mu = 0{,}001$,, (1 Millionstel mm)	,, Durchmesser kleinster Kol- loidteilchen.	
0,1 $\mu\mu$	,, Durchmesser der Elementar- molekeln.	

Gebiet der Kolloide.

Zsigmondy benutzte den Dispersitätsgrad als Einteilungsprinzip dispersoider Systeme. Nach ihm fällt das „Gebiet der Kolloide" vom Durchmesser $1\,\mu$ bis zum Durchmesser $1\,\mu\mu$. Der Wert $0{,}1\,\mu$ stellt ungefähr die äußerste Grenze mikroskopischer Sichtbarkeit dar. Auf ultramikroskopischem Wege lassen sich Teilchendurchmesser von $1\,\mu\mu$ noch beobachten. H. Siedentopf unterscheidet zwischen „Mikronen", „Submikronen" und „Amikronen". Erstere sind mikroskopisch sicht- bar, die Submikronen sind durch das Ultramikroskop zu beobachten, die Amikronen liegen unterhalb der ultramikroskopischen Sichtbar- keitsgrenze, zu ihnen sind die Moleküle und ihre Teilprodukte zu rech- nen. Mit dieser Klassifikation nach Zsigmondy kommen wir beim Kautschuklatex aus, nicht aber beim Aufschluß von vulkanisiertem Weichgummi durch organische Lösungsmittel, wenn die anorganischen Zusätze in gewissen Fällen in Suspension bleiben, wie wir später sehen werden. Die Einteilung von Zsigmondy wurde übrigens für anorga- nische Kolloide gegeben. Da wir also später mit dem Zsigmondyschen Einteilungsprinzip nicht auskommen, wollen wir auch gleich beim Latex die Wo. Ostwaldsche erweiterte Klassifikation der Dispersoide nach dem Dispersitätsgrade zugrunde legen. Ostwald nennt mikroskopische Suspensionen und Emulsionen „eigentliche oder grobe Dispersionen", Dispersoide von einem Dispersitätsgrade von zirka $1\,\mu\mu$ und darunter „Molekulardispersoide". Danach gehört der Latex zu den groben Dis- persionen. Die Grenze der mikroskopischen Sichtbarkeit überschreiten wir beim Kautschukkolloid überhaupt nicht, weder beim Latex noch bei den Mischungen mit anorganischen und organischen Zusätzen. Nur bei den Kautschuklösungen kommen wir in das ultramikroskopische Gebiet. Für die Kautschukkügelchen werden verschiedene Größen in der Literatur angegeben. Um im folgenden nicht immer das lange Wort Kautschukkügelchen zu gebrauchen und um gleichzeitig das Dispersoid mit auszudrücken, will ich in Hinkunft die „Kautschuk- kügelchen" im Latex mit „Globuloide" bezeichnen und diesen Namen in die Kautschukliteratur einführen. Spence machte verglei- chende Beobachtungen über die Größe der Globuloide im Latex von Hevea brasiliensis und Funtumia elastica. Letztere sind viel kleiner als jene von Hevea. Der Durchmesser der Globuloide aus Hevea ist zirka 0,5—2,5 μ. Die Globuloide aus Funtumia elastica können unter dem Mikroskope kaum deutlich wahrgenommen werden, nur sehr wenige haben einen Durchmesser von 0,1 μ.

Von der Größe der Globuloide hängt auch die Aufrahmungsgeschwindigkeit des Latex ab, je kleiner die Globuloide sind, also je größer die Dispersion ist, desto länger dauert der Aufrahmungsprozeß. Vom Kickxialatex ist bekannt, daß er bei der Koagulation von allen anderen Kautschukmilchsäften abweicht, er koaguliert ohne Zusatz von Koagulationsmitteln, ohne Wärme überhaupt nicht. Dies scheint damit begründet zu sein, daß die Kickxiamilch die kleinsten Globuloide gegenüber anderen Milcharten aufweist. Aus der oben angeführten Tabelle sehen wir, daß die Größe der Globuloide in einem und demselben Latex variiert. Wir haben beispielsweise im Latex von Hevea brasiliensis Durchmesser von 0,5—2 μ. Wir haben es also beim Latex mit einem sogenannten „polydispersen System" zu tun, d. h. mit einem System, in welchem sich die disperse Phase aus Einzelphasen mehrfachen Dispersitätsgrades zusammensetzt. Dies ist für die Stabilitätsbedingungen des ganzen Systems von großer Bedeutung. Je höher der Dispersitätsgrad ist, d. h. je kleiner die Globuloide sind, desto stabiler ist das kolloide System, einen desto größeren Widerstand setzt das Dispersoid der Koagulation entgegen. Wir werden später sehen, daß sich die Globuloide im Latex in starker Brownscher Bewegung befinden. Die stärker dispergierten Globuloide, also die kleineren, zeigen eine größere Brownsche Bewegung als die größeren. Letztere kommen leichter zur Ruhe, zur Koagulation. Die größere Brownsche Bewegung der Globuloide gehört also auch zu den stabilisierenden Faktoren des Systems.

Wir haben schon früher gehört, daß die Ausflockung und Aufrahmung der Kickxiamilch erst bei sechsfacher Verdünnung mit Wasser vor sich geht. Der Dispersitätsgrad des groben Dispersoids wird also hier mit fallender Konzentration verringert. Wir haben es mit einem „konzentrationsvariablen System" zu tun.

Der Latex stellt aber auch ein „grobes temperaturvariables Dispersoid" vor, weil man jede Kautschukmilch durch Erhöhung der Temperatur, also durch Kochen koagulieren, d. h. weniger dispers machen kann.

Die Formarten der Phasen beim Kautschukdispersoid und der Einfluß der Phasenzahl und Art auf die Kautschukmischung.

Beim Kautschukkolloid haben wir es in den seltensten Fällen mit einem zweiphasigen Dispersoid zu tun. 5, 6, 7 und mehrphasige grobe Dispersoide sind hier in der Mehrzahl anzutreffen. Aus diesem Grunde gestalten sich die Verhältnisse bei der Fabrikation von Weich- und Hartgummi in theoretischer Beziehung so ungeheuer schwierig. Betrachten wir bloß erst einmal mit Wo. Ostwald, den einfachsten Fall, die zweiphasigen Dispersoide. Durch Kombination der drei Formarten F feste Phase, Fl flüssige und G gasförmige Phase zu zweit ergeben sich schon folgende Möglichkeiten:

1. F + F	4. Fl + F	7. G + F
2. F + Fl	[5. Fl + Fl]	8. G + Fl
3. F + G	[6. Fl + G]	9. G + G.

Sowohl die Formart der dispersen Phase als auch die des Dispersionsmittels kann variieren. Wir wollen einige Beispiele aus der Gummiindustrie heranziehen, welche die einzelnen Fälle näher illustrieren sollen.

1. **F + F.** Dieser Fall ist der häufigste in der Gummiindustrie, nur verläuft er in den seltensten Fällen als zweiphasiges Dispersoid. Es ist der Fall des heutigen „Patent-Kautschuks", der bloß aus Parakautschuk und Schwefel besteht. Der Begriff „Patent-Kautschuk" hat sich mit der Zeit verschoben. Ursprünglich bestand der echte Patentkautschuk nur aus reinem Parakautschuk ohne Schwefel, welcher dann der Kaltvulkanisation unterworfen wurde. 1866 ließ sich nämlich M. Guibal in England ein Verfahren, Kautschuk in dünne Platten zu zerschneiden, patentieren, daher der Name Patentkautschuk. Später verstand man unter Patentkautschuk einen Parakautschuk ohne Zusätze bloß mit Einlagerungen von Schwefelpartikelchen, also das System F + F.

2. **F + Fl.** Schlecht getrockneter Kautschuk, in welchem Wasser absorbiert ist.

3. **F + G.** Mit Kohlensäure koagulierter Kautschuk (DRP. Nr. 237789, Kl. 39b. Gr. 1 von Fa. W. Pahl in Dortmund), in welchem noch Kohlensäure absorbiert ist.

4. **Fl + F.** Kautschuklösungen in Benzol, Benzin, Tetrachlorkohlenstoff, Schwefelkohlenstoff usw.

5. **Fl + Fl** kommt wohl kaum in der Gummiindustrie vor.

6. **Fl + G** kommt auch nicht vor.

7. **G + F.** Kautschuk in einer Sauerstoffatmosphäre bei den Oxydationsproben (Sonnenbrechen).

8. **G + Fl.** Die Nebelbildung beim Abtreiben des Kautschuklösungsmittels mit Wasserdampf bei dem Lösungsregenerationsverfahren; der Moment der Nebelbildung.

9. **G + G.** Der Zustand zwischen dem überspannten Wasserdampf und Lösungsmitteldampf vor der Nebelbildung in 8.

In der Gummiindustrie haben wir es aber selten mit zweiphasigen Dispersoiden zu tun, wie ich bereits eingangs erwähnte. Mehrphasige Dispersoide sind die Regel. Genau genommen sind die oben angeführten Beispiele schon fast alle mehrphasig, weil wir es nicht mit reinem synthetischen Kautschuk $C_{10}H_{16}$ aus Isopren zu tun haben, sondern mit Kautschuk, der Harz und Pflanzeneiweiß enthält. Die Phase Kautschuk besteht wieder aus Teilphasen. Schon bei einem dreiphasigen Dispersoid kompliziert sich die Sache außerordentlich. Wir haben dann:

1. F + F + F	4. F + Fl + F	6. Fl + F + F
2. F + F + Fl	5. F + G + F	7. Fl + F + Fl
3. F + F + G		8. Fl + F + G

9. Fl + Fl + F	11. G + F + F	14. G + Fl + F
10. Fl + G + F	12. G + F + Fl	15. G + G + F
	13. G + F + G	
16. F + Fl + Fl	18. Fl + Fl + Fl	20. G + Fl + Fl
17. F + G + G	19. Fl + G + G	21. G + G + G

Viele von diesen theoretischen Möglichkeiten kommen allerdings in der Praxis nicht vor. Aber der Fall F + F + F + F + · · · kompliziert sich schon ins Unermeßliche, wenn sich die Phasen vermehren, wie es bei den Mischungen der Fall ist. Zu diesen physikalischen Beeinflussungen des dispersen Systems kommen nun aber auch noch chemische Reaktionen der einzelnen Zusätze untereinander. Der Schwefel gibt mit dem Kautschuk ein Kautschuksulfid, mit dem zugesetzten Kalk, Magnesia, Zinkoxyd usw. Sulfide, Polysulfide und Sulfate bei der Vulkanisation. Ich glaube, man ersieht schon aus diesen wenigen Beispielen, mit welchen fast unüberwindlichen Schwierigkeiten es die Gummiindustrie zu tun hat. Versuche, eine theoretische Mischungslehre aufzustellen, dürften nach diesen Ausführungen ziemlich scheitern. Jede in der Praxis bewährte Mischung ist auf einen empirischen Glücksfall zurückzuführen.

Betrachten wir jetzt einige interessante mehrphasige Systeme aus der Praxis, z. B. den Pfleumerschen Schaumgummi. Eine Mischung von Kautschuk mit Schwefel und verschiedenen Zusätzen wird nach dem Pfleumerschen Patente in einem Kautschuklösungsmittel aufgelöst und nachher in einem Apparate ähnlich wie Eierklar geschlagen. Es tritt Schaumbildung ein. Sobald diese am stärksten ist, wird das ganze disperse System vulkanisiert, also fixiert. Wir haben es bei diesem Prozesse mit einem mehrphasigen Dispersoid nach ungefähr folgendem Schema zu tun: F + F + F + · · · + F + Fl + G.

Auf ähnlichen Prinzipien beruht die Herstellung von Gummischwämmen. Das mehrphasige Dispersoid, die Gummischwammmischung, besteht aus folgenden Teilphasen: Parakautschuk + Goldschwefel + Schlemmkreide + Kalk + Schwefel + kohlensaure Magnesia + Lithopone + Zinkweiß + Schwerspat + Weizenmehl + Olivenöl + Ricinusöl + Alkohol + Wasser + Anilin + Amylacetat. Es sind also in einer Gummischwammischung nicht weniger als 10 feste und 6 flüssige Phasen. Dementsprechend schwierig gestaltet sich auch die Vulkanisation. Bei der Vulkanisation selbst treten Übergangserscheinungen, komplexe Dispersoide auf, indem der flüssige Alkohol, das Wasser und das Amylacetat in die gasförmige Phase übergehen, was von der jeweiligen Temperatur abhängt. Es ist zu bewundern, mit welcher Leichtigkeit die Gummiindustrie auf rein empirischem Wege diese komplizierten Phasenverhältnisse gelöst hat. Ich will im nachfolgenden die Fabrikation von Gummischwämmen kurz einem Berichte der Gummizeitung in Berlin von Herbert Lindemann entnehmen, um diese empirische Lösung dem Theoretiker vorzuführen. Die Gummischwammischung ist folgende: Para 4,600 kg, Goldschwefel (2 proz. freier Schwefel) 0,600 kg, Schlemmkreide 0,900 kg, Kalk 0,010 kg, Schwefel 0,300 kg, kohlensaure Magnesia 0,200 kg, Lithopone 1,500 kg, Zinkweiß 0,790 kg, Schwerspat 0,400 kg, Weizenmehl 0,400 kg, Olivenöl 0,150 kg, Ricinusöl 0,150 kg.

Der Gummi muß vor der Mischung etwa 4—5 Stunden gut durchgeknetet werden, so daß er vollständig weich wird. Die Mischung muß auf nicht zu heißen Walzen erfolgen und nimmt etwa 1—1¹/₂ Stunden in Anspruch.

Ferner ist von Wichtigkeit die richtige Wahl des Blähmittels. Als solches bewährt sich folgende Zusammensetzung: 90 proz. Spiritus 1,00 kg, Wasser 0,200 kg, Anilin 0,010 kg, Amylacetat 0,020 kg, zusammen 1,230 kg.

Man läßt 8 kg der gut abgekühlten und ausgelagerten Mischung auf stark gekühlten Walzen weich laufen und spritzt langsam bei fortwährendem guten Durchkneten die Blähmittel mittels einer Brause auf die Gummimischung auf.

Es ist besonders dabei darauf zu achten, daß die Walzen sich nicht im geringsten erwärmen, ev. ist das Einmischen zu unterbrechen und zu warten, bis die Walzen von neuem kalt geworden sind.

Das Aufspritzen darf nicht zu schnell und auch nicht zu langsam erfolgen. Wird zu schnell dabei gearbeitet, so nimmt die Gummimasse die Blähmittel nicht vollständig auf und man erleidet Verluste dadurch, daß die Flüssigkeit zwischen den Walzen durchläuft. Arbeitet man zu langsam, so entstehen Verluste durch Verdunsten des Alkohols.

Es ist erforderlich, daß die Walzen rauh sind, da die Gummimasse sonst nicht durchgearbeitet wird, resp. die Einmischung der Blähmittel zu lange dauert. Sie muß in etwa 20—25 Minuten beendet sein. Sind die Blähmittel alle eingemischt, so lasse man die Gummimasse noch mehrere Male durch die Walzen laufen, indem man den Abstand derselben sukzessiv vergrößert. Der betreffende Arbeiter muß besonders darauf achten, keine Luftblasen in die Masse hineinzubekommen resp. die im Teig sich befindlichen Blasen durch Mastizieren zu entfernen.

Jede Luftblase, die im Teig sich bildet, verursacht nachher im fertigen Brote ein großes Loch und man würde mit vielen Abfällen zu rechnen haben, wenn nicht mit genügender Sorgfalt bei der Mischung verfahren würde.

Man nimmt die Mischung in ungefähr der Form von der Walze herunter, wie sie nachher in den Kessel kommt, d. h. möglichst viereckig etwa 30 cm breit und 60 cm lang bei einer Höhe von 3—4 cm. Dieser Kuchen wird unter der Presse genau viereckig gepreßt und auf eine Höhe von 23 mm gebracht. Ist das Brot zu lang oder zu breit, so stößt es bei der Vulkanisation gegen die Kesselwände und durch den hierbei entstehenden Druck werden Ausbeulungen und Einschnürungen verursacht. Ist das Brot höher oder niedriger als 23 mm, so hat dieses Einfluß auf die Vulkanisationszeit und die Schwämme würden entweder ungar oder übervulkanisiert aus dem Kessel herauskommen.

Ferner ist erforderlich, daß die Presse besonders an warmen Sommertagen, oder wenn sie in der Nähe irgendeines Kessels steht, dauernd durch kaltes Wasser gekühlt wird, da jede Wärmezuführung eine Verdunstung des Alkohols zur ·Folge hat und dieses erklärlicherweise das Produkt sofort beeinflußt.

Der Kuchen wird erst kurz vor dem Augenblicke aus der Presse herausgenommen, wo er vulkanisiert werden soll.

Nachdem man die Oberfläche des Kuchens mittels Benzins gut gereinigt hat, reibt man sie mit Ricinusöl ziemlich dick ein. Die Oberseite wird hierauf mit Seidenpapier belegt, das nach den Rändern zu umgeschlagen wird. Die Unterseite bleibt frei und wird nur eingefettet.

Die Vulkanisation erfolgt in einem Kessel, dessen Konstruktion aus beistehenden Zeichnungen Fig. 1 und 2 zu ersehen ist. Es ist ein doppelwandiger Vulkanisierkessel, dessen Innenraum jedoch annähernd viereckig ist. An der Vorderwand des Kessels befinden sich die zur Be-

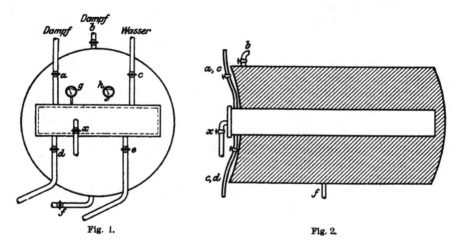

Fig. 1.   Fig. 2.

dienung nötigen Handgriffe, und zwar

a) Dampfzuleitung zum Innenkessel,
b) Dampfzuleitung zum Außenkessel,
c) Wasserzuleitung zum Innenkessel,
d/e) Ableitungsrohre aus dem Innenkessel,
f) Ableitungsrohr aus dem Außenkessel,
g/h) Manometer für Innen- und Außenkessel.

Im Innenkessel befindet sich eine Roste von 3 cm Höhe. Auf dieser liegt eine durchlöcherte Eisenplatte, die mit einem nicht zu feinen Drahtsiebgewebe bespannt ist. Es ist darauf zu achten, daß diese Platte sich leicht in den Kessel heraus- und hineinschieben läßt, damit das Brot bequem und schnell zu hantieren ist.

An der Verschlußwand des Innenkessels befindet sich in 13 cm Höhe über dem Boden des ·Innenkessels eine Durchbohrung, durch die ein Rohr x nach außen führt.

Es ist im Interesse einer gleichmäßigen Fabrikation angebracht, daß sämtliche Zuleitungsrohre gut isoliert, sowie auch die Wände des Kessels mit einer isolierenden Schicht bedeckt sind.

Der zur Vulkanisation erforderliche Dampfdruck beträgt $5^1/_2$ Atmosphären.

Bei der Aufstellung des Kessels ist darauf Rücksicht zu nehmen, daß jede Dampfschwankung während der Vulkanisation einen nachteiligen Einfluß hat, es muß daher der Schwammkessel in möglichster Nähe des Hauptkessels aufgestellt werden mit einer extra Zuleitung ohne scharfe Knicke vom Dampfdom her. Nur so ist es möglich, dauernd einen gleichmäßigen Druck zu erzielen.

Bevor mit der Vulkanisation begonnen wird, ist der Außenkessel $^1/_4$ Stunde lang auf 4 Atmosphären vorzuheizen. Währenddessen wird die fertig vorbereitete Mischung genau in die Mitte der eisernen Roste auf das Drahtsiebgewebe gelegt und mit einem leichten Baumwolltuche (Kattun) bedeckt. Das Tuch muß ungefähr von der Größe des Innenkessels sein. Genau um das Brot herum werden 23 mm resp. 21 mm hohe Eisenstäbe von derselben Länge wie das Brot gelegt, und zwar achte man darauf, daß sie fest anliegen und den über das Brot gelegten Stoff glattziehen.

Hierauf schiebe man die Roste in den Kessel und verschließe ihn sofort möglichst schnell. Es sind jetzt die Hähne *a*, *d*, und *e* zu schließen, nur das Wasserzuleitungsrohr *c* sowie Ableitungsrohr *x* sind zu öffnen. Ist der Wasserstand gestiegen bis zu der in der Vorderwand des Kessels angebrachten Durchbohrung, d. h. fließt Wasser aus dem Rohre *x* aus, so sperre man die beiden offenen Hähne ab und öffne den Dampfzuleitungshahn *a* sofort ganz. Der Druck des Innenkessels muß möglichst schnell auf 4,7 Atmosphären steigen (innerhalb 2 Minuten), der Druck des Außenkessels ist auf 3,8 einzustellen. Vom Augenblick der Dampfzuleitung zum Innenkessel an gerechnet dauert die Vulkanisation 37 Minuten. Es ist hierbei streng darauf zu achten, daß der Druck des Außenkessels nicht über 3,8 steigt (oder innen unter 4,7 fällt), da sonst sofort eine Verbrennung des Brotes eintritt, $^1/_{10}$ Atmosphäre spielt hierbei bereits eine große Rolle und steht der Druck außen einmal mehrere Minuten auf 4 Atmosphären, so ist mit Sicherheit anzunehmen, daß das Produkt unbrauchbar geworden ist.

Sind die 37 Minuten vergangen, so ist Hahn *d* und *e* möglichst schnell zu öffnen. Das Wasser stürzt sofort heraus und die Hähne sind rechtzeitig wieder zu schließen, damit der Druck im Innenkessel nicht unter 2 Atmosphären sinkt. Zuleitung und Ableitung sind so zu regulieren, daß ein langsames stetiges Fallen des Manometers ermöglicht wird.

Im Innenkessel wird während dieser Zeit der Druck von 3,8 auf 3 Atmosphären reduziert.

Beim Nachheizen ist darauf zu achten, daß die Dampfzuleitung zum Innenkessel nicht zu stark ist, da sonst das jetzt noch sehr empfindliche Brot an der Eingangsstelle des Dampfes eingedrückt wird.

Die Ableitung des Dampfes ist so zu regulieren, daß sich kein Kondenswasser im Innenkessel ansammeln kann. Die Dauer des Nachheizens beträgt 85 Minuten. Nach 83 Minuten, vom Augenblick des Wasserablassens an gerechnet, schließe man den Ablaßhahn des Innenkessels und steigere den Druck durch schnelles Aufschrauben des Dampfzulassungsrohres auf $5^1/_2$ Atmosphären.

Man läßt etwa $^1/_2$ Minute auf $5^1/_2$ Atmosphären stehen und reduziert dann so, daß man bei 85 Minuten auf 0 angelangt ist. Der Außenkessel ist jetzt auch abzulassen.

Der Kessel wird jetzt schnell geöffnet und das Brot, möglichst ohne es einem kalten Luftzug auszusetzen, sofort in kochende 3—4 proz. Natronlauge geworfen, die absolut kalkfrei sein muß. Nachdem es hierin einen Augenblick geblieben ist, wird es durch breite große Wringwalzen, die zuerst schwach angespannt werden, durchgewalzt und wieder in das kochende Wasser geworfen. Diese Prozedur wird mehrere Male wiederholt bei immer schärfer angespannten Walzen, bis sämtliche Poren im Brote geplatzt· sind und es wieder seine volle Ausdehnung zurückgewonnen hat.

. Hierauf wird das Brot in Wasser ausgekocht und wiederum gut durchgewalzt, bis jede Spur von Natronlauge daraus verschwindet. Dann ist es fertig und kann zur Schneiderei kommen.

Wir haben es bei der Schwammfabrikation mit einer ganzen Reihe kolloidchemischer Erscheinungen zu tun. Zunächst wird das zehnphasige System durch das Zusammenkneten auf der warmen Milchwalze stark dispergiert. Die dispersen festen Teilchen des Kautschukgels erhalten dadurch immer mehr die Eigenschaften flüssiger Teilchen, je größer ihr Dispersitätsgrad wird. Der dispergierte Kautschuk wirkt jetzt ähnlich wie ein Lösungsmittel auf die einzelnen festen Phasen, die Zusätze, und bildet dadurch leicht eine homogene Suspension mit diesen. Das Phasengemisch Amylacetat und Alkohol bewirkt eine weitere Dispersion des zehnphasigen Systems, welche in der Wärme fast zu einer Verflüssigung führt, mithin dann später bei der Vulkanisation eine gleichmäßige Porenbildung erleichtert. Der Übergang der flüssigen Phasen in die gasförmigen erzeugt die gewünschte Porenbildung des Schwammes. Durch das Hinzufügen eines neuen komplexen Dispersoids, durch das Hinzufügen von Wasser wird eine Verstärkung der Porenbildung erzielt. Gleichzeitig wird aber auch das Wasser vom Kautschuk adsorbiert und schützt ihn vor Verbrennung bei der Vulkanisation. Ein wasserhaltiger Kautschuk wird nach der Vulkanisation geschmeidiger als ein wasserfreier. Leider kann man von dieser kolloidchemischen Erscheinung nur dort Gebrauch machen, wo auch Porenbildung erlaubt ist. Das Vorheizen unter Wasser bewirkt ein langsames und gleichmäßiges Durchwärmen des ganzen Systems. Das im Innenkessel befindliche Wasser nimmt ungefähr die Temperatur des Außenkessels an, da es mit diesem ja eine größere Berührungsfläche hat wie mit dem Dampf des Innenkessels. Das Brot erwärmt sich also beim Vorheizen nur auf die Temperatur des Außenkessels und dieses hat zur

Folge, daß der Druck im Brot selbst, der durch den Übergang des Alkohols aus der flüssigen in die gasförmige Phase entsteht, nicht so hoch wird, daß das Brot sich bei der Vorheizung schon ausdehnen kann; denn wir haben im Innenkessel einen Druck von ungefähr 4,7 Atmosphären. Die Tension des Alkoholdampfes in der Schwammischung, die ja höher ist als die des Wasserdampfes, wird durch den hohen Druck im Innenkessel ausgeglichen. Dieses Ganze hat zur Folge, daß sich in der Mischung während des Vorheizens noch keine Poren bilden können, wodurch eine gleichmäßige Vorwärmung der ganzen Mischung gewährleistet wird. Wird der Druck des Innenkessels nach Schluß des Vorheizens reduziert auf zwei Atmosphären, so ist es naturgemäß, daß infolge des hohen Dampfdruckes in der Schwammischung diese selbst jetzt auseinandergetrieben wird. Die Dauer des Vorheizens muß so bemessen werden, daß einesteils die Erwärmung und beginnende Vulkanisation genügend bis zum Innern des Brotes vorgeschritten ist, um ein Auseinanderreißen der ganzen Masse zu einer großen Blase mit einer schwammigen Kruste zu verhindern; andernteils darf die Vorheizung nicht zu lange dauern, sonst schreitet die Vulkanisation so weit vor, daß das Brot sich nicht mehr genügend ausdehnen kann. Die ersten Anzeichen hiervon erkennt man natürlich an der Haut. Diese muß noch vollständig glatt und weich sein und darf noch keine Risse und größere Sprünge zeigen. Solche sind auf eine zu lange Vulkanisation beim Vorheizen zurückzuführen. Beim Nachheizen dehnt sich das Brot sukzessive aus. Es schieben sich die um das Brot herumliegenden Eisenstäbe langsam zur Seite. Diese Eisenstäbe halten das über das Brot gelegte Tuch fest und zwingen so die Gummimasse, eine gleichmäßige Oberfläche anzunehmen. Die Zeitdauer des Nachheizens läßt sich leicht genau bestimmen. Ist sie zu gering, so bleibt das Schwammprodukt weich und klebt beim Durchwalzen durch die Wringmaschine vollkommen zusammen, ohne wieder auseinander zu gehen. Ist zu lange nachgeheizt worden, so ist die Farbe der Haut eine gelbliche und außerdem wird der ganze Schwamm zu hart. Die Vulkanisation ist so einzurichten, daß das Schwammprodukt etwas weicher ist als die im Handel befindlichen Gummischwämme, da es beim Trocknen und auch im Laufe der Zeit noch etwas nachhärtet, eine Alterserscheinung des dispersen Systems. Würde man beim Schluß der Vulkanisation sofort von 2 Atmosphären auf 0 Atmosphären fallen, so würde naturgemäß das Brot nochmals das Bestreben haben sich auszudehnen, da ja das Gasgemisch in jeder einzelnen Zelle auch 2 Atmosphären angenommen hat. Es würde also das ganze Brot auseinanderreißen, da es nicht mehr weich und nachgiebig ist wie im ersten Stadium der Fabrikation. Man läßt daher für einen kurzen Augenblick den Druck noch einmal auf 5—6 Atmosphären steigen und erzielt hierdurch, daß das Brot stark zusammengepreßt wird. Es ist ja in diesem Zustande namentlich in der Wärme noch etwas klebrig und daher kleben speziell die feineren Zellen, die besonders Neigung zum Reißen haben, stark zusammen. Nachteilige Einflüsse hat diese Prozedur nicht, wenn dieser

Druck nicht zu lange auf dieser Höhe bleibt. Das Brot dehnt sich beim Kochen und Durcharbeiten durch die Wringwalzen von selbst wieder aus. Das Bestreichen der Rohmischung mit Öl hat den Zweck, daß die Haut eine schönere Farbe bekommt und auch glatter und gleichmäßiger wird. Die untere Seite des Brotes, die stark eingefettet und nicht mit Seidenpapier beklebt ist, wird glatt auf das Drahtsiebgewebe gelegt. Es vulkanisiert hierauf natürlich sofort fest, so daß es sich im Wasser durch die Auftriebskraft nicht losreißen kann. Wenn sich das Brot losreißt, so hat dies zur Folge, daß es mehr oder weniger aus dem Wasser herauskommt, sukzessive eine höhere Temperatur annimmt, sich stärker ausdehnt und schnell vulkanisiert. Das Produkt, das hierbei herauskommt, ist ziemlich stark verbrannt und hat ziemlich kleine Poren. Hervorgerufen wird dieser Fehler entweder durch zu hohen Druck im Außenkessel oder durch zu niedrigen Druck im Innenkessel. In beiden Fällen ist die Tension des Alkoholdampfes in der Mischung größer als der Dampfdruck im Innenkessel. Es bilden sich infolgedessen Poren, das Brot wird spezifisch leichter, reißt sich los und schwimmt auf der Oberfläche des Wassers.

Die Fabrikation von Schwammgummi ist besonders phasenreich und dadurch kompliziert. Aber auch schon ganz einfache Weichgummimischungen der Praxis stellen recht phasenreiche Dispersoide der Formart Fest vor. Bei der Vulkanisation wird das System Kautschuk + Schwefel gewöhnlich komplex, indem beide aus der festen Formart in den halbflüssigen Zustand übergehen, in welchem der Schwefel mit dem Kautschuk dann eine chemische Reaktion, eine Sulfidbildung, eingeht. Eine ganz einfache „Durit"-Weichgummimischung wie folgende:

Paragummi	. . . .	45,5 kg
Bleiglätte	. . . .	18,0 ,,
Kaolin	. . . .	24,0 ,,
Kreide	. . . .	5,5 ,,
Magnesia usta	. . . .	1,5 ,,
Schwefel	. . . .	5,0 ,,

welche $^1/_2$ Stunde auf 4 Atmosphären zu vulkanisieren ist, stellt schon ein sechsphasiges System dar, welches durch die Gegenwart von Bleiglätte in der Vulkanisationsgeschwindigkeit stark beeinflußt wird. In einer sehr interessanten Arbeit haben uns W. Esch und M. Auerbach gezeigt, daß der Einfluß der Bleiglätte hauptsächlich auf die Bildung von Bleisulfat zurückzuführen ist. Ob dabei auch eine katalytische Wirkung des Bleioxyds, wie C. O. Weber meinte, eine Rolle spielt, ist nicht erwiesen, aber ziemlich wahrscheinlich. Der einer Mischung zugefügte Schwefel gibt mit dem Bleioxyd eine exothermische Reaktion nach der Gleichung:

$$4\,PbO_{\text{fest}} + 4\,S_{\text{geschmolzen}} \text{ geben } 3\,PbS_{\text{fest}} + PbSO_4\,.$$

Bei der Einwirkung der Phasen Bleiglätte, Kautschuk und Schwefel bei einer Temperatur von 140—145° C aufeinander wurde keine Bil-

dung von Wasser bemerkt. Bei der Vulkanisation wird Bleisulfat und
Bleisulfid im Verhältnis 4 : 6 und noch darüber hinaus gebildet. Wenn
nur spurenweise die Reaktion $PbO + S + 3\,O = PbSO_4$ eintritt, so
wirken die dabei erzeugten Wärmemengen, aus 223,1 g $PbO = 165,7$ Ca-
lorien, enorm heizend. In praxi tritt sehr rasch eine Oxydation von
PbS zu $PbSO_4$ nach folgender Formel ein: $PbS + 4\,O = PbSO_4$. Daß
die Bleisulfatbildung für die Heizwirkung vornehmlich in Frage kommt,
beweisen auch Menninge und Bleiperoxyd durch ihre starken Wirkungen.
Aus vorliegendem Beispiele ersehen wir, daß nicht bloß die Formart
der einzelnen Phasen und die Zahl der Phasen das ganze System wesentlich beeinflussen, sondern auch die zugesetzte Menge der einzelnen
Phasen, die chemische Zusammensetzung der Phasen und vieles mehr.
Die Kautschukchemie ist deshalb so schwierig, weil wir es bei ihr neben
kolloidchemischen Erscheinungen auch noch mit chemischen Reaktionen zu tun haben. So bildet sich, wie wir sahen, beim Vulkanisationsprozeß aus dem zugesetzten Bleioxyd Bleisulfid und Bleisulfat. Ich
konnte fast bei allen Oxyden ähnliche Veränderungen nachweisen und
zwar bilden sich während der Vulkanisation in größerer oder geringerer
Menge aus:

Magnesiumoxyd . . . . . . Magnesiumsulfid und Magnesiumsulfat,
Calciumoxyd . . . . Calciumsulfid und Calciumsulfat,
Zinkoxyd . . . . Viel Zinksulfid und wenig Zinksulfat,

    Aber auch Carbonate und andere Zusätze erleiden chemische Ver-
änderungen:

Magnesiumcarbonat . . . . Magnesiumsulfid und Magnesiumsulfat,
Bariumsulfat . . . . Sulfidbildung
Calciumcarbonat . . . . . Calciumsulfid und Calciumsulfat.

    Diese chemischen Veränderungen der anorganischen Zusätze durch
die Vulkanisation lehren uns, daß wir aus den analytischen Ergebnissen
eines fertigen Artikels nicht ohne weiteres auf die der Rohmischung
beigegebenen Zusätze schließen können.
    Neben den chemischen Veränderungen müssen allen anorganischen
Zusätzen unbedingt auch infolge ihrer starken Verteilung und daher
großen Oberfläche in dem Kautschukdispersoid stärkere oder geringere
katalytische Einflüsse zugeschrieben werden. Es ist eine unableugnbare
Tatsache, welche jeder Gummimischer bestätigen wird, daß das System
Kautschuk + Schwefel viel langsamer vulkanisiert als das System
Kautschuk + Schwefel + Zusätze. Beispielsweise braucht die Hart-
gummimischung:

        Peruviankautschuk   . . . . 31 kg
        Parakautschuk   . . . . 31 „
        Schwefel . . . . 25 „

zu ihrer richtigen Ausvulkanisation 9 Stunden auf 4 Atmosphären. Setzt
man die Mischung hingegen wie folgt zusammen:

Peruviankautschuk . . . . 31 kg
Parakautschuk . . . . 31 „
Schwefel . . . . 25 „
Magnesia usta . . . . 3 „
Tonerde . . . . 2 „
Brauner Faktis . . . . 8 „
Ruß . . . . 4 „

so kann man das gleiche Resultat schon in 8 Stunden bei 4 Atmosphären erreichen.

Von ganz wesentlichem Einfluß auf das ganze System ist auch die verwendete Gummisorte. Je stärker diese dispergiert ist, desto rascher vulkanisiert sie. Ceylonpara, der höchst aggregierte Kautschuk, vulkanisiert viel langsamer als irgendeine andere afrikanische Gummisorte. Wenn wir von der „Vulkanisationsgeschwindigkeit" sprechen, meinen wir natürlich die Vulkanisationsgeschwindigkeit des reinen Kautschukwasserstoffs $C_{10}H_{16}$. Einen wesentlichen Einfluß auf die Vulkanisationszeit übt der Harzgehalt einer Sorte aus. Das Harz wirkt immer verzögernd. Wir müssen uns den Vorgang so vorstellen, daß die Globuloide in der Milch bei der Koagulation das Harz mitreißen, so daß dieses die einzelnen koagulierten Globuloide mehr oder weniger wie mit einer Hülle umgibt. Der Einfluß des Harzes ist der eines sogenannten „Schutzkolloids". Nach Wo. Ostwald kann durch Kombination eines Suspensoids mit einem Emulsoid die Stabilität des ersteren weitgehend erhöht werden, d. h. annähernd auf den Wert des Emulsoides gebracht werden. Diese Schutzwirkung ist in unserem Falle etwas anders gedacht. Wir haben es nicht mit einem Suspensoid und einem Emulsoid, sondern mit 2 festen Phasen, einer dispergierten (der Kautschukkohlenwasserstoff) und einer aggregierten (das Harz) zu tun. Die dispergierte Phase ist hier sehr labil, also geneigt, rasch den Vulkanisationsprozeß einzugehen, die aggregierte Phase, Harz, übt Schutzwirkung, d. h. erhält die dispergierte Phase, Kautschuk, labil und verlangsamt damit die Vulkanisation. Bei der Vulkanisationstemperatur wird das Harz flüssig, so daß dann aus den beiden Phasen fest + fest die Phasen fest + flüssig werden, das Harz wird dadurch zum Emulsoid und wirkt auf den Kautschuk als Suspensoid nach Art eines Schutzkolloids. Harz und Vulkanisation (Stabilisierung des Systems) stehen sich gegenüber. Sehr harzreiche Kautschuksorten lassen sich infolgedessen überhaupt nicht ohne Harzextraktion vulkanisieren wie z. B. Dead Borneo oder Guayule. Man muß sie mit anderen leicht vulkanisierbaren Kautschuksorten vermischen oder mit harzbindenden oder besser gesagt, harzadsorbierenden anorganischen Substanzen, wie z. B. Kieselguhr oder Magnesia usta, auf der Mischwalze mischen.

Jedem einzelnen Zusatz zur Gummimischung kommt eine ganz bestimmte Bedeutung für das ganze System zu. Auch auf die Art der Fabrikation muß bei den Zusätzen Rücksicht genommen werden. Es ist nicht gleichgültig für die Mischung, ob ich einen Wickelschlauch oder aber einen Spritzschlauch herstellen will. Die Wickelschlauchmischung eignet sich ganz und gar nicht zum Spritzen in der Spritzmaschine. Dazu braucht man sehr plastische, also stark dispergierte Mischungen. Die Kunst des Gummimischers besteht darin, daß er weiß, welchen kolloidchemischen Einfluß die einzelnen Zusätze auf das gesamte Mischungssystem im Rohzustande und im Vulkanisat sowohl gleich nach der Vulkanisation als auch nach Monaten hat. Diese Einflüsse lassen sich wissenschaftlich nicht alle übersehen und ergründen; es sind größtenteils Erfahrungssachen. Kehren wir zur Spritzmischung zurück. Als Beispiel sei folgende angeführt:

Peruviankautschuk	23,5 kg
Weißer Faktis	38,0 ,,
Schwefel	7,0 ,,
Kieselsäure	12,0 ,,
Kaolin . . . , ...	4.0 ,,
Magnesia usta	0,5 ,,
Kreide	9,0 ,,
Goldschwefel	7,0 ,,

Die Vulkanisationszeit ist 2 Stunden auf 4 Atmosphären.

Auf den ersten Blick fällt uns in dieser Mischung der hohe Faktisgehalt auf. Er dient lediglich dazu, das System zu dispergieren, also plastisch zu machen, damit man es auf der Spritzmaschine spritzen kann. Dementsprechend enthält diese Mischung einen recht hohen Gehalt an Schwefel, um das durch den Faktis stark dispergierte System nachher wieder zu aggregieren durch die hohe Vulkanisation.

Wir haben aber nicht allein im Faktis ein Mittel, ein Kautschukmischungssystem zu dispergieren. Eine Dispersion zum Zwecke der Spritzfabrikation kann auf mehrfache Art bewirkt werden. Wir können durch Zusatz harzreicher Gummisorten (z. B. durch Pseudogummisorten), durch viel anorganische Zusätze (z. B. Zinkoxyd), durch Balata und Guttapercha, durch Murac und schließlich durch von Natur aus stark dispergierte Kautschuksorten ein System spritzfähig machen. Ein Beispiel letzter Art sei folgende Schlauchmischung der Praxis:

Mozambique-Kautschuk	37,0 kg
Faktis braun	9,0 ,,
Schwefel	2,0 ,,
Goldschwefel (mit 8% freiem S) . .	9,0 ,,
Eisenoxyd	3,0 ,,
Kreide	28,0 ,,
Magnesia usta	1,0 ,,

$^3/_4$ Stunde bei 4 Atmosphären zu vulkanisieren.

Das Eisenoxyd in dieser Mischung hat einerseits Färbezweck, andererseits wirkt es aber auch etwas vulkanisationsbeschleunigend.

Ganz anders komponiert ist eine Schlauchmischung, welche man nicht durch die Spritzfabrikation, sondern durch den Wickelprozeß zur Herstellung von Schläuchen verwenden will:

Kautschuk (2% Harz) . . . .   36,00 kg
Schwefel . . . .   5,00 ,,
Schwerspat . . . .   11,00 ,,
Bleiglätte . . . .   12,50 ,,
Kaolin . . . .   4,50 ,,
Magnesia usta . . . .   12,00 ,,
Kreide . . . .   14,00 ,,
Faktis braun . . . .   5,00 ,,

Zu vulkanisieren $1^1/_4$ Stunden auf 4 Atmosphären. Eine solche Mischung braucht nicht stark dispergiert sein. Von wesentlicher Bedeutung für das System einer Kautschukmischung ist auch die Reihenfolge, in welcher die einzelnen festen Phasen zur Suspension gebracht werden, da sie ja alle die kolloide Beschaffenheit des Systems stark beeinflussen. Würde man z. B. zuerst zu dem gewöhnlich in geringer Menge verwendeten Kautschuk die das System austrocknenden Zusätze wie Magnesia usta, Kieselguhr, Kreide usw. auf die Mischwalze bringen und sind diese Zusätze in sehr großer Menge vorhanden, dann würde man das System „totwalzen", wie der Gummimischmeister sagt.

Was versteht man nun im kolloidchemischen Sinne unter „Totwalzen". Dispergiert man ein Mischungssystem so weit, daß das elastische Kautschukgel durch die zwischengelagerte anorganische Suspension seinen Zusammenhang verliert und in ein unelastisches Gel übergeht, dann nennt man das System totgewalzt. Ein totgewalzter Kautschuk ist irreversibel. Das Totwalzen hat zur Grundbedingung, daß die Menge der anorganischen Zusätze die verwendete Menge des Kautschuks weit übersteigt.

Am vorteilhaftesten wird man also die Mischung so bereiten, daß man zuerst alle jene Zusätze dem Kautschuk zususpendiert, welche das System erweichen und aufnahmefähig für die anorganische Suspension machen. Man darf dabei freilich auch nicht in das gegenteilige Prinzip verfallen und das System übermäßig plastizieren, sonst besteht die Gefahr, daß die Mischung den „leimigen" Dispersitätsgrad annimmt und die Mischwalzen verklebt. Sobald das System auf den Walzen leimig zu werden beginnt, mischt man von den trocknenden anorganischen Zusätzen ein. So gelingt es ganz leicht ein auf den Walzen angenehm mischbares System zu erhalten.

Wieviel ein Kautschukgel verträgt ohne seinen Zusammenhang zu verlieren und immerhin noch einen Artikel zu liefern, der einige Monate hält, dies soll eine sehr billige Kinderwagenreifenmischung illustrieren:

Niggerkautschuk . . . .   1,500 kg
Brauner Faktis . . . .   3,000 ,,
Schwarzer regen. Gummi . . . . .   9,750 ,,
Harzöl . . . .   0,600 ,,
Kalk . . . .   0,100 ,,
Schwefel . . . .   0,300 ,,
Lithopone . . . .   5,000 ,,

Kreide . . . . 7,000 kg
Schwerspat . . . . 3,500 „
Ruß . . . . 0,250 „
Abfall . . . . 2,000 „

Die Mischung ist 30 Minuten auf 4 Atmosphären in der Form zu vulkanisieren.

Das Harzöl hat in obiger Mischung den Zweck, eine Emulsion herzustellen, welche dann die ungeheuere Menge der anorganischen Zusätze in Suspension zu nehmen hat. In dieser Mischung haben die vielen anorganischen Phasen lediglich den Zweck der Verbilligung des Artikels. Dies gilt aber durchaus nicht als Regel für die anorganischen Zusätze. Ist das System durch die Vulkanisation fixiert, dann bedeuten sämtliche anorganische Suspensionen eine „Versteifung" des Systems, welche gewissen Artikeln nottut, z. B. Automobillaufdecken. Die Suspensionen bilden dann sozusagen das Rückgrat des Kolloids, wie die Knochen beim Menschen. Auch beim Menschen brauchen die Kolloide, aus welchen der ganze Organismus besteht, eine Stütze. Je mehr sich dann die Suspensionen an das kolloide System anschließen, je feiner also die Suspension ist (möglichst fein gesiebt), desto homogener wird die Mischung. Die anorganischen Zusätze dürfen mit anderen Worten im kolloiden System nicht als Fremdkörper, sondern als grobdisperse Suspensionen" empfunden werden. Ich bin der Ansicht, daß die grobdispersen Suspensionen im System durch den Mischprozeß auf den Walzen in einen mehr oder weniger kolloiden Zustand durch die Gegenwart des Kautschuks übergeführt werden. Zum mindesten werden sie von einer Art Schutzkolloid umgeben und schließen sich in diesem Zustande inniger dem Kautschukkolloid an. Meine Auffassung möchte ich damit begründen, daß in Kautschukaufschlüssen die anorganischen Substanzen ungeheuer schwer, manchmal überhaupt nicht auszuzentrifugieren sind, sie bleiben im Aufschlußmittel in Suspension. Weiter sind in den seltensten Fällen Kautschukmischungen gelb, auch wenn man bedeutende Mengen Schwefel einmischt. Die Mischungen haben, wenn nicht ausdrücklich färbende Zusätze hinzugefügt werden, meistens eine graue Farbe, was dem Aussehen des kolloiden Schwefels entspricht. Noch deutlicher erhalten wir die Farbe des Kolloids, wenn wir einem Kautschuk auf der Mischwalze das schwarze metallische krystalloide Selen zususpendieren. Dieses verliert beim Walzen mit dem Kautschukkolloid seine schwarze Farbe und geht in einen schockoladenfarbigen Zustand über. Kolloides Selen ist aber schockoladenbraun. Daraus folgt, daß das Kautschukkolloid seinen kolloiden Zustand auf die anorganischen Suspensionen mehr oder weniger durch den Mischprozeß überträgt.

Im Einklange mit diesen meinen Anschauungen steht noch eine Beobachtung von Edward W. Lewis und H. Waumsley. In ihrer Arbeit „Kautschuk als Schutzkolloid. Über die Bildung kolloidaler Metallsulfide in Kautschuklösungen" bemerken sie, daß Lösungen vom technisch reinen Kautschuk in 90 proz. Benzol, welche mit metallischem

Blei in Berührung waren, von der Metalloberfläche aus eine dunkle Färbung annehmen. In reinstem Benzol zeigt sich die Erscheinung nicht. Die Ursache derselben ist der in 90 proz. Benzol enthaltene Schwefelkohlenstoff. Die tiefbraune, opalisierende Lösung ist eine kolloide Lösung von Bleisulfid mit Kautschuk als Schutzkolloid; im Ultramikroskop zeigen sich zahlreiche Submikronen, deren Brownsche Bewegung äußerst träge ist. W. Lewis und H. Waumsley gelangten zu folgenden Resultaten: 1. Die Färbung ist am tiefsten in den Lösungen mit 2% Kautschuk. 2. Die Bildung von Sulfid ist ausgesprochener bei höherem Gehalt an Schwefelkohlenstoff. 3. Die Bildung von Sulfid nimmt zu mit wachsendem Gehalt an Alkohol. 4. Bei einem Gehalt von nur 0,5% an Kautschuk hört die Sulfidbildung fast gänzlich auf. Bei Abwesenheit von Kautschuk tritt dieselbe überhaupt nicht ein. Von anderen Metallen zeigen nur Kupfer und Quecksilber die gleichen Erscheinungen; bei Quecksilber verläuft die Umwandlung viel langsamer. Auch mit Bleiglätte werden kolloide Sulfidlösungen erhalten.

Wir hatten oben in der Kinderwagenreifenmischung den Fall, daß wir zu den festen Phasen eine flüssige hinzufügten, um eine dünnere Suspersion zu erhalten. Auf diese Erscheinung treffen wir öfters in der Gummiindustrie, und zwar jedesmal, wenn wir Mischungen herstellen sollen, welche ungeheuer viel anorganische Suspensionen enthalten müssen. Damit kommen wir auf die sogenannten „it"-Mischungen, wie z. B. Klingerit, Calmonit, Morit, Metzelerit, Cooperit usw. zu sprechen. Kautschuk findet sich in diesen Mischungen nur in sehr geringer Menge vor. Er dient ausschließlich nur als Bindemittel. Auf der Mischwalze könnte man die große Menge anorganischer Zusätze nicht in dem Kautschuk suspendieren. Manche dieser Mischungen enthalten Schwefel, manche keinen. Die „Itplatten" dienen als Dichtungsmaterial für hochgespannten Dampf. Die mit Schwefel versetzten Mischungen vulkanisieren sofort beim ersten Gebrauch durch die hocherhitzten Teile, welche an die Dichtung zu liegen kommen. Eine Vulkanisation ist aber eigentlich gar nicht notwendig, weshalb viele Fabrikanten keinen Schwefel zusetzen. Zur Herstellung der Itmischungen wird zuerst das Kautschukkolloid in Benzin in der Werner-Pfleiderer-Lösungsmaschine gelöst, nachher werden in die Lösung die pulverförmigen Zusatzstoffe innigst suspendiert, bis ein gleichmäßiger Brei entsteht. Dieser Brei wird auf einem Itplattenwalzwerke zu Platten ausgewalzt, bei welchem Prozesse das Benzin verdunstet und die Mischung stark zusammengepreßt wird. Eine in der Praxis bewährte Mischung ist folgende:

Blauer Cap-Asbest . . . . 42 kg
Eisenoxyd . . . . 10 „
Magnesia usta . . . . 18 „
Kautschuk (mit einem Harzgehalt von
　etwa 9%) . . . . 30 „

Nicht immer geht der Fabrikant darauf aus, die beiden Extreme Weich- und Hartgummi zu erhalten. Manchmal interessieren ihn auch die Zwischenstufen zwischen Weichgummi und Ebonit. Weichgummi ist elastisch und biegsam, Ebonit spröde. Elastische, lederartige Hartgummisorten sind für bestimmte Artikel erwünscht, z. B. für Akkumulatorenkästen. Eine solche Mischung besteht aus:

Parakautschuk	34 kg
Schwefel	18 „
Paraffin	8 „
Vaselin	3 „
Bariumsulfat	25 „
Mineralrubber	5 „
Kieselguhr	5 „
Ruß	2 „

Ein Akkumulatorenkasten ist häufig (bei Automobilen) Stößen ausgesetzt, daher muß er lederartig sein. Außerdem dürfen die Zusätze von verdünnter Schwefelsäure nicht angegriffen und aus der Suspension herausgelöst werden. Paraffin, Vaselin und Mineralrubber bewirken ein starkes Erweichen des Systems und wirken gleichzeitig als Schutzkolloide auf den stark dispergierten Kautschuk, so daß sich der Schwefel nur langsam anlagern kann. Daraus resultiert ein lederartiges Produkt.

Alle anorganischen Zusätze bewirken im Gegensatz zu vielen organischen Beimengungen ausnahmslos größere oder geringere Schwefelanlagerung als wenn das System frei von anorganischen Füllstoffen ist, wie ich dies bereits einmal erwähnt habe. Cl. Beadle und H. P. Stevens erbrachten dafür schöne Beweise. Ihre Versuche betrafen Zinkweiß, Talkum und Magnesia usta als mineralische Zusatzmittel für heiß zu vulkanisierenden Kautschuk. In bezug auf Beeinflussung der Schwefelbindung an Kautschuk ergab sich folgendes:

Mischungsverhältnis					Auf 100 Kautschuk gebundener Schwefel (berechnet aus Gesamtschwefel minus freien Schwefel)
Kautschuk	Schwefel	Zinkweiß	Talkum	Magnesia usta	
100	5				2,42
100	5				2,40
100	5	0,5			2,68
100	5	2			2,68
100	5	5			2,73
100	5	15			2,75
100	5	40			2,80
100	5	75			2,81
100	5		0,5		2,56
100	5		2		2,55
100	5		5		2,62
100	5		15		2,53
100	5		40		2,69
100	5		75		2,60
60	3	37			2,75
60	3	36		1	4,37
60	3	35		2	4,77
60	3	34		3	4,83

Die Verfasser ziehen aus diesen Ergebnissen zusammen mit den Ergebnissen von Dehnungsversuchen auf der Schwartzschen Maschine den Schluß, daß Zinkweiß nur sehr wenig die Bindung des Schwefels an den Kautschuk befördere, aber die mechanischen Eigenschaften des Kautschuks merklich verbessere, Talkum so gut wie ohne Einfluß auf die Bindung des Schwefels an Kautschuk sei, aber die mechanischen Eigenschaften des Kautschuks sehr merklich verschlechtere, und Magnesia usta die Bindung des Schwefels an Kautschuk sehr energisch befördere und die mechanischen Eigenschaften des Kautschuks sehr erheblich verbessere, aber bei steigenden Magnesiazusätzen die verbessernden Wirkungen nur langsam zunähmen.

Wir können aus diesen Zahlen sehr bemerkenswerte kolloidchemische Schlüsse ziehen. Talkum ist ein chemisch vollkommen indifferenter Zusatz und bewirkt dennoch eine starke Vermehrung des gebundenen Schwefels. Diese Wirkung kann man also lediglich nur auf eine starke Dispersion zurückführen, welche Talkum in Suspension im Kautschukkolloid bewirkt. Diese Dispersion steigt immer mehr, je größer die Menge des zugesetzten Talkes wird.

Vergleichen wir die angeführten Zahlen der Schwefelbindung zwischen Zinkweiß mit dem chemisch indifferenten Talk bei der gleichen Zusatzmenge, so können wir sehen, welche Menge gebundener Schwefel auf das Konto der chemischen Beeinflussung durch das Zinkweiß kommt. 0,5 Talk bewirkt 2,56 Schwefelanlagerung, 0,5 Zinkweiß 2,68. Mithin bewirkt der chemische Einfluß 2,68 — 2,56 = 0,12 gebundenen Schwefel, wenn wir annehmen, daß die Dispersionswirkung aller Zusätze die gleiche ist (was aber sicherlich auch nicht vollkommen richtig ist). Die Dispersionswirkungen können wir wieder an dem chemisch indifferenten Talk berechnen, wenn wir von 2,56 die Zahl 2,42 subtrahieren. Sie ist also gleichbedeutend mit 0,14 gebundenem Schwefel.

In der Kabelindustrie braucht man klebrige Mischungen, die nicht fest werden dürfen, sondern stets weich und klebrig bleiben müssen. Mit diesen Massen werden die Isolierbänder gestrichen. Als Beispiel sei folgende Teerbandmischung angeführt:

Kautschuk III. Qualität	4	kg
Faktis braun	4	,,
Colophonium	5	,,
Harzöl	5	,,
Ricinusöl	2	,,
Kreide	6	,,
Schwerspat	10	,,
Ruß	0,2	,,

Das Ganze wird in einem Kessel in möglichst feinster Verteilung zusammengeschmolzen. Man schmilzt zweckmäßig zuerst die organischen Materialien, bis sie dünnflüssig geworden sind, hernach suspendiert man in einem geheizten Rührwerke die anorganischen Bestandteile dazu.

Eine noch viel bessere, billigere und klebrigere Teerbandmischung stammt von R. Ditmar und R. Thieben. Die beiden Chemiker ließen sich von dem Gedanken leiten, daß eine Kautschukmischung nur dann dauernd klebend bleiben kann, wenn man dem zugesetzten Kautschuk die dispergierteste Form erteilt, welche er noch haben kann ohne zu destillieren. Zu diesem Zwecke verfährt man wie folgt: 100 kg fein gemahlene alte Luftschläuche von Fahrrädern oder Automobilen werden in einem geschlossenen Eisenkessel so lange mit 34 kg Kolophonium über freier Flamme erhitzt, bis der Kautschuk zu einer gleichmäßigen zähen Masse gelöst ist. Hier hinein werden 33 kg Holzteer emulsioniert. Diese Masse sei mit A bezeichnet. Nun erhitzt man in einem zweiten Kessel die Bestandteile:

Masse A . . . . 46 kg
Guayulekautschuk (feinst geschnitten) 3. „
Ruß . . . . 0,6 „

und arbeitet hier hinein, sobald die Masse im Flusse ist, allmählich 55 kg feinst pulverisiertes Bariumsulfat. Bei allen Prozessen muß der Kautschuk in der dispergiertesten Form stets bleiben ohne pyrogen zu zerfallen. Ein durch Hitze einmal in den leimigen Zustand übergegangener Kautschuk bleibt für alle Zeiten klebrig.

II. Die Bestandteile und die Koagulation des Latex.

V. Henri: Le Caoutchouc et la Guttapercha Nr. 27. 1906.

J. v. Wiesner: Über die chemische Beschaffenheit des Milchsaftes der Euphorbiaarten nebst Bemerkungen über den Zusammenhang zwischen der chemischen Zusammensetzung und der systematischen Stellung der Pflanzen. Sitzungsber. d. kaiserl. Akad. d. Wissensch. in Wien, mathem.-naturw. Klasse, 121, Abt. I. 1912.

D. Bloom: Zeigt die Acidität von rohem Kautschukharz den botanischen Ursprung an? Versamml. d. Amer. Chem. Soc. v. 25. bis 30. Dez. 1911 zu Washington, III.

E. Fickendey: Die sogenannte Koagulation des Kautschuks. Kolloidzeitschr. 8, Heft 1, S. 43—47. 1911.

W. Crossley: Die Adsorption von Säuren durch die Kolloide des dialysierten Hevea-Milchsaftes. The India Rubber Journ. 18, 11. 1911.

G. Flamant: Studien an Latex vom französischen Kongo und ein Beitrag für eine allgemeine Koagulationsmethode bei Kautschuk. Le Caoutchouc et la Guttapercha 9, 5939. 1912.

Cl. Beadle und H. P. Stevens: Rohkautschuk und seine Bewertung. The India Rubber Journ. 24. Juni 1911.

D. Spence: Über die Krystalloide und die anorganischen Bestandteile (Asche) im Latex und eine neue Bestimmungsmethode derselben, mit besonderer Beziehung auf Latex von Funtumia elastica Stapf. Liverpool University, Institute of commercial Research in the Tropics.

— Analysis of Latex from Ficus Vogelii and of Memleku Rubber therefrom. Note on Karite Gutta. Quaterly Journal, Institute of commercial Research, Liverpool University 3, 1ff. 1908.

— Latex von Funtumia Elastica Stapf. 1. Analyse des Latex. Liverpool University, Institute of commercial Research in the Tropics.

D. S p e n c e : Über die chemische Beschaffenheit der Albane im Gummi von Ficus Vogelii. Liverpool University, Institute of commercial Research in the Tropics.
— On the presence of oxydases in India-Rubber, with a theory in regard to their function in the latex. Bio-Chemical-Journal **3**, 165 ff.
— Vorläufige Abhandlung über die Koagulation von Latex. (Beobachtungen über die vergleichende Größe der Kautschukkügelchen im Latex von Hevea brasiliensis und Funtumia elastica.) India Rubber Journal.
— Analyse eines Latex von Funtumia elastica. Liverpool University, Institute of commercial Research in the Tropics.
— Formic Acid as a coagulant for the Latex of Hevea brasiliensis (Para Rubber). The India Rubber Journal **35**, 425.

Unter „Koagulation" kolloider Systeme versteht Wo. Ostwald weitgehende Verringerungen des Dispersitätsgrades der dispersen Phase, verbunden mit einem Aufgeben der Homogenität der räumlichen Verteilung. Die Koagulationsvorgänge führen in der Regel zu makroheterogenen Systemen.

Wir haben uns zunächst mit der Frage zu beschäftigen, ob wir den Latex als „Suspension" oder als „Emulsion" anzusprechen haben. Dazu müssen wir wissen, ob der Kautschuk im Latex als solcher präexistiert oder nicht, d. h. mit anderen Worten, ob die Globuloide schon Kautschuk sind oder aber flüssige Kohlenwasserstoffe, welche erst in Kautschuk übergehen durch den Koagulationsprozeß. C. O. Weber zweifelte die Präexistenz des Kautschuks als solchen im Latex an. Er hielt die Globuloide für flüssige Terpenkohlenwasserstoffe, welche ähnlich wie die Ricinusölpillen von einer dünnen Membrane umschlossen werden. Andere Forscher, wie A. W. K. de Jong und W. R. Tromp de Haas, D. Spence, V. Henri, E. Fickendey u. a. stellten fest, daß die Globuloide keine Terpene, sondern Kautschuk sind. Die Frage ist mit ziemlicher Sicherheit im letzteren Sinne entschieden. Selbst wenn die Webersche Theorie richtig wäre, müßte man den Latex als „Suspension" bezeichnen, da die Globuloide durch die Membranhülle einen festen Körper und keine flüssige Phase vorstellen. Unter einer Emulsion versteht man aber Dispersoide von der Zusammensetzung Fl + Fl, während eine Suspension die Zusammensetzung Fl + F hat. Trotz dieser theoretischen Erwägung bezeichnen merkwürdigerweise Wo. Ostwald, E. Fickendey und V. Henri den Latex als Emulsion. Dieser Fehler muß entschieden ausgemerzt werden. Der Latex ist eine grobe Suspension, die Globuloide sind Mikronen.

Der erste Forscher, welcher den Latex in kolloidchemischem Sinne untersuchte, war V. Henri. Seine Arbeit ist daher von fundamentaler Bedeutung für die Latexforschung geworden. Henri arbeitete mit Proben des Milchsaftes von Hevea brasiliensis, welcher schwach alkalisch reagierte, ein spezifisches Gewicht von 0,973 zeigte und nach dreitägigem Austrocknen bei 105° in 100 ccm einen Rückstand von 8,70 g ergab. Die spezifische elektrische Leitungsfähigkeit des Milchsaftes bestimmte Henri zu 0,0033 bei 25°, welcher Wert gleich dem Leitungsvermögen einer 0,25 g in 100 ccm haltigen Chlornatriumlösung ist. Die Gefrierpunktserniedrigung, welche die molekulare Konzentration der im Milchsaft gelösten Stoffe erkennen läßt, war $\Delta = 0,22°$; sie entspricht demnach derjenigen einer etwa $^1/_9$-normalen Lösung eines Nichtleiters oder einer etwa $^1/_{16}$-normalen Lösung eines Leiters. Sowohl die Konzentration als auch die Natur der im Milchsafte gelösten Salze besitzen für dessen Gerinnung große Wichtigkeit.

Koagulation der Kolloide wird besonders durch Elektrolyte bewirkt. Die Anwesenheit von Salzen, Säuren und Basen in irgendeinem Kolloid beeinflußt bedeutend die Fällbarkeit des Kolloids, so daß es nötig ist, wenn man planmäßig die Fällung eines Kolloids untersuchen will, mit möglichst reiner Lösung zu arbeiten. Auch zur diesbezüglichen Untersuchung des Kautschukmilchsaftes läßt sich dasselbe technische Verfahren einschlagen, nur muß man zuerst den Milchsaft von allen darin gelösten Stoffen befreien. Henri dialysierte den in Kollodiumhäutchen eingeschlossenen Milchsaft unter täglichem Wechsel des Außenwassers. Nach 15 Tagen erhielt er einen keine wägbaren Mengen Salze oder andere gelöste Stoffe haltigen Milchsaft, dessen elektrisches Leitungsvermögen demjenigen destillierten Wassers sehr nahe kam und dessen Gefrierpunktserniedrigung unter $^1/_{100}°$ lag.

Fügt man zu einem Milchsaft verschiedene Stoffe, so kann folgendes beobachtet werden: 1. Die Flüssigkeit bleibt rein milchig ohne Ausscheidungen. 2. Es bilden sich vereinzelte Flocken, welche für sich bleiben, oben schwimmen oder zu Boden fallen, sich aber nicht zusammenballen. Diese Flocken sind oft so klein wie ein pulveriger Niederschlag, manchmal auch bis zu 3 mm Größe, lassen sich aber nicht vereinigen, sondern zerteilen sich beim Rühren in kleinere Flöckchen. Diese Erscheinung gleicht der Gerinnung der roten Blutkörperchen oder der Milchkügelchen, und Henri nennt dies Agglutination des Milchsaftes. 3. Es bildet sich ein Netz sehr langer Fasern, welches alle Milchsaftkügelchen einhüllt; dieses Netz ist sehr elastisch. Beim Rühren des Milchsaftes vereinigen sich die Fasern und man erhält einen festen elastischen Kuchen, welcher bei fortgesetztem Rühren immer dichter wird und sich durch einfache mechanische Behandlung nicht in einzelne Fasern zerteilen läßt. Dieses Verhalten ist wirkliche Koagulation des Latex.

Henri studierte nun die Wirkung verschiedener Stoffe für sich oder in Mischung miteinander auf den Latex.

A. Wirkung von Einzelstoffen auf Hevea-Milchsaft. 1. Alkohole, Äthyl-, Methyl- und Amylalkohol üben auf den dialysierten Kautschuksaft keine sichtbare Wirkung aus. Bisher hat man Alkohol als ein allgemeines Gerinnungsmittel für alle Milchsäfte angesehen; Henris Untersuchungen ermittelten aber, daß solche Alkoholwirkung lediglich auf Anwesenheit von Salzen im Kautschukmilchsaft zurückzuführen sein dürfte. 2. Die Salze der einwertigen Metalle Natrium, Kalium und Ammonium üben ebenfalls keine Wirkung aus. 3. Die Salze von Calcium, Magnesium und Barium wirken, in genügender Menge zugesetzt, auf den dialysierten Hevea-Milchsaft agglutinierend; die Stärke der Salzlösungen muß die der Normallösungen übersteigen. 4. Die Salze der

Schwermetalle Mangan, Eisen, Nickel, Kobalt, Kupfer, Zink, Blei und die Salze des Aluminiums veranlassen bei viel schwächerem Gehalt ihrer Lösungen als dem der erdalkalischen Salze ein Zusammenballen des Milchsaftes; es genügt eine $1/_{20}$-Normalstärke. Henri verwendete die Chloride, Nitrate und Sulfate obiger Metalle und fand, daß die Natur der Säure hierbei ohne Einfluß war. Bei einer bestimmten Stärke der Salzlösungen trat Bildung sehr feiner Flocken auf, bei vermehrter Stärke des Zusatzes wurden die Flocken größer, doch entstand niemals ein elastischer Kuchen. 5. Alkalien bewirkten keinerlei Veränderung des dialysierten Hevea-Milchsaftes. 6. Säuren veranlaßten bei etwa halbnormaler Stärke ein Zusammenballen. Chlorwasserstoff-, Salpeter- und Essigsäure verhielten sich gleich; Schwefelsäure wirkte schon sehr verdünnt, bei etwas stärkerer Säure bemerkte Henri Anfang von Koagulation. Trichloressigsäure verhielt sich anders, sie ergab schon bei sehr starker Verdünnung Koagulation unter Abscheidung eines sehr elastischen Kuchens. 7. Auch Aceton wirkte als Gerinnungsmittel des dialysierten Kautschukmilchsaftes.

B. Wirkung von Stoffgemischen auf Hevea-Milchsaft: Henri studierte die Wirkung einer großen Anzahl Stoffgemische, aus denen er nur die Gemenge von Alkohol mit einem Elektrolyten anführt. Fügt man zum dialysierten Milchsaft irgendeine Salzlösung oder eine Säure in genügender Menge und dann sogleich Alkohol, so entsteht ein Zusammenballen oder ein Gerinnen. Die Salze von einwertigen Metallen verhalten sich in dieser Beziehung sehr ähnlich den Säuren und Salzen mehrwertiger Metalle. Gemische von Alkohol und Salzen der einwertigen Metalle des Natriums, Kaliums, Ammoniums bewirken nur Zusammenballen bei ziemlicher Stärke ihres Salzgehaltes, etwa 10—20 g auf 100 ccm. Bei Salzen der zweiwertigen Metalle genügt schon eine sehr geringe Stärke, etwa $1/_{100}$-Normal, um mit Alkohol zusammen Koagulation unter Bildung eines sehr elastischen Kuchens zu veranlassen. Vermindert man allmählich die Alkoholmenge, läßt aber den Salzgehalt gleichwertig, so bemerkt man bei schwachem Alkoholgehalt lediglich Abscheidung von einzelbleibenden Flocken, bei ganz wenig Alkoholzusatz erfolgt keine Flockenbildung mehr. Dasselbe Verhalten macht sich auch bei der eigentlichen Koagulation des Milchsaftes bemerkbar, wenn man bei gleicher Alkohol- und Milchsaftmenge den Zusatz an Salzen der obengenannten zweiwertigen Metalle verringert. Hieraus ist deutlich ersichtlich, daß die Koagulation nur als eine kräftigere Agglutination zu betrachten ist, da derselbe bei geringerer Zusatzmenge ein Zusammenballen, bei größerer Menge eine Koagulation des Kautschukmilchsaftes zu bewirken vermag. Gemische von Alkohol mit Säuren verhalten sich wie Gemenge von Alkohol mit Salzen zweiwertiger Metalle; hingegen üben Gemische von Alkohol mit Alkalien keinerlei Wirkungen aus. Dieses Nichtwirken von Alkalien auf Hevea-Milchsaft und die Ähnlichkeit dieses Verhaltens mit Beobachtungen gleicher Art an Kolloiden und anderen Emulsionen führt notwendigerweise zu Versuchen über das Verhalten eines neutralen Milchsaftes. Fügt man zum durch Soda

oder Pottasche neutralisierten, dialysierten Milchsaft ein Salz und dann
Alkohol hinzu, so beobachtet man, daß schon sehr wenig schwaches
Alkali genügt, um durchgreifende Änderungen zu bewirken. Schon
$1/_{10000}$-Normalsodalösung verhindert eine Zusammenballung oder ver-
wandelt eine Koagulation in ein Zusammenballen. Fügt man z. B. zum
dialysierten, nicht neutralisierten Hevea-Milchsaft Magnesiumchlorid
und dann Alkohol hinzu, so entsteht ein elastisches Gerinnsel; hingegen
bewirkt ein sehr geringer Zusatz von Magnesiumchlorid und Alkohol
zum dialysierten, neutralisierten Milchsaft nur eine Abscheidung ver-
einzelter Flocken, welche sich nicht vereinigen lassen. Hieraus folgt,
daß die Wirkung des Alkalizusatzes ebenso sich steigert, wie der Übergang vom Zusammenballen zur Koagulation sich allmählich vollzieht.
Die Koagulation kann betrachtet werden als ein gesteigerter Zustand
der Agglutination des Kautschukmilchsaftes.

Seit V. Henri studierten viele Forscher die Koagulation des Kautschuks von kolloidchemischen Grundsätzen ausgehend. Es waren
hauptsächlich praktische Beweggründe, welche sie zu diesen Untersuchungen veranlaßten. Die chemischen Koagulationsmethoden, deren
man sich besonders ins Afrika bedient, führen zu einem Kautschuk,
mit welchem man in der Praxis noch nicht vollkommen zufrieden ist.
Hier liegt ein weites Feld offen. Es ist die Aufgabe kolloidchemischer Forschung, solche Koagulationsmethoden für die
verschiedenen Kautschukmilchsäfte verschiedener Kaut-
schukpflanzen zu finden, welche den besten Kautschuk zu
liefern imstande sind. Diese Aufgabe ist durchaus keine leichte.
Dadurch, daß man ohne sorgfältige kolloidchemische Studien an den
diversen Latices nach einem Universalmittel suchte, mit dem man alle
Latices in gleicher Weise koagulieren wollte, wurde der Gummiindustrie
mehr geschadet als genützt. Ich erinnere bloß an das von Berlin aus
mit großer Reklame in den Handel gebrachte Kautschukkoagulations-
mittel „Purub", mit dem man bei einzelnen Latices ein vollständiges
Fiasko erlebte. Nachdem sich die Erfinder des Purub, welches nichts
weiter als verdünnte Fluorwasserstoffsäure ist, genügend bereichert
hatten, kam man dann zu dem Schlusse, daß die Wirkung von Rück-
ständen von Fluorwasserstoffsäure beim Fehlen von basischen Zu-
schlägen in der Mischung mindestens den Einflüssen der Faktisgase
gleichkommt. Das Suchen nach einem Universalmittel für die Kautschukkoagulation ist ein unsinniges Beginnen, weil die verschiedenen
Latices verschiedene Suspensionen darstellen, welche sich nicht über
einen Kamm scheren lassen. Im übrigen sei bemerkt, daß man chemische
Koagulationsmittel am häufigsten dort anwendet, wo der Saft nur
spärlich fließt. Man streicht gewöhnlich die Baumwunde direkt mit
dem Koagulationsmittel an.

Die Kautschukkoagulation kompliziert sich aber auch noch dadurch,
daß der Latex ein und desselben Baumes zu verschiedenen Zeiten verschiedene Zusammensetzung zeigt. Sogar nach der Höhe der Wunde
vom Erdboden ist die Latexsuspension verschieden. In einem gewissen

Gegensatz zu diesen bekannten Erscheinungen steht allerdings eine erst neuerdings von J. v. Wiesner gemachte Beobachtung, welche er in einer Arbeit „Über die chemische Beschaffenheit des Milchsaftes der Euphorbiaarten nebst Bemerkungen über den Zusammenhang zwischen der chemischen Zusammensetzung und der systematischen Stellung der Pflanzen" in der kaiserl. Akademie der Wissenschaften in Wien niederlegte. Nach Wiesner geht die geographische Verbreitung der Euphorbiaarten fast über alle Zonen der Erde und auch der spezifische Standort derselben ist ein verschiedener. Hieraus und aus den chemischen Untersuchungen folgert J. v. Wiesner, daß das bisher beobachtete Verhältnis von Kautschuk zu Harz in den Milchsäften der Euphorbiaarten sowohl von der geographischen Breite als von dem spezifischen Charakter des Standortes unabhängig ist.

Eine interessante kolloidchemische Untersuchung über den Latex von Funtumia elastica wurde von D. Spence durchgeführt. Der verwendete Latex hatte ein spezifisches Gewicht von 0,990, reagierte sauer, 50 ccm erforderten bei der Titration 95 ccm $^1/_{10}$-n NaOH zur vollständigen Neutralisation. Die Koagulation des Latex wurde durch Kochen, eine raschere und vollständigere Koagulation nach der Neutralisation mit Alkali und nachherigem Kochen bewirkt. Spence bestimmte die Einwirkung verschiedener Reagenzien auf den Latex. Zu diesem Zwecke wurden 50 ccm Latex mit dem fünf- oder sechsfachen Volumen Wasser verdünnt und dann sorgfältig mit $^1/_{10}$-n NaOH neutralisiert, als Indicator wurde Penolphtalein verwendet. Für jede Beobachtung wurden 5 ccm des neutralen Latex verwendet.

Die Resultate waren folgende:

Mit Ammoniak wurde die Koagulation in der Kälte verzögert oder vollständig verhindert; in der Hitze (100° C) verzögert.

Durch Natriumcarbonat wurde die Koagulation in der Kälte verhindert; beim Kochen war sie unvollständig.

Natriumhydroxyd verhinderte die Koagulation nahezu ganz.

Ammonchlorid, Calciumchlorid, Bariumchlorid, keines dieser Reagenzien bewirkte Koagulation in der Kälte. Sie beschleunigten dieselbe beim Erhitzen, doch war die Koagulation eine unvollständige.

Bleiacetat bewirkte Koagulation erst beim Erhitzen des Latex.

Kaliumchromat bewirkte in der Kälte keine und beim Sieden nur unvollständige Koagulation.

Essigsäure in geringer Menge begünstigte die Koagulation beim Kochen; ein Überschuß an Säure verzögerte dieselbe und bewirkte unvollständige Koagulation.

Salzsäure, Salpetersäure verhielten sich ähnlich wie Essigsäure; beschleunigten, wenn in geringen Mengen vorhanden, die Koagulation beim Kochen; der resultierende Kautschuk schien von minderer Qualität als ein durch Hitze allein koaguliertes Kontrollmuster.

Alkohol bewirkte beim Erhitzen rasche Koagulation, in der Kälte wurde dieselbe etwas beschleunigt.

Alkohol und Phenol (10 : 1) bewirkten nahezu augenblickliche Koagulation in der Kälte.

Ammonmolybdat (in verd. HNO_3) bewirkte allmähliche Farbände-
rung der Lösung bis zum Übergang in ein grünliches Braun. Es bildete
sich augenblicklich ein flockiger Niederschlag, welcher sich unter dem
Mikroskope aus feinen Kautschukpartikelchen bestehend erwies. Diese
Partikelchen stiegen zur Oberfläche auf, vereinigten sich beim Erwärmen zu einer zusammenklebenden Masse und ließen eine fast durch-
sichtige Flüssigkeit zurück.

Basisches Bleiacetat verhielt sich letzterem gegenüber ähnlich. Die
Einwirkung war aber weniger ausgeprägt und vollständig.

Die Analyse des Latex von Funtumia elastica ergab:

	I	II	III
Wasser (sauere Reaktion)	56,8%	56,9 %	56,9%
Kautschuk		36,53%	
Harze		4,16%	
Protein und Mineralstoffe		2,88%	

Die Verschiedenheit der Wirkung verschiedener Koagulationsmittel
auf ein und denselben Milchsaft zeigt eine andere Untersuchung von
D. Spence, welche er an einem Hevealatex aus Ceylon mit einem Rein-
kautschukgehalt von 27,5% gegenüber den Koagulationsmitteln Essigsäure und Ameisensäure ausführte. Er arbeitete mit 5proz. Lösungen
dieser Säuren mit je 100 ccm Milchsaft. Zu diesem ließ er im Thermostaten bei 25°C tropfenweise das Koagulans hinzufließen. Die Resultate ergaben:

1. Nach 30 Minuten vollständige Ausscheidung des Kautschuks
nach Zusatz von 18—20 ccm Essigsäurelösung, hingegen der gleiche
Effekt mit 8—10 ccm der 5proz. Ameisensäurelösung.

2. Bei schnellster und vollständigster Koagulation ausgezeichnete
Qualität des Gummis. Der Ameisensäure kommt auch antiseptische
Eigenschaft zu, ähnlich wie einer Essigsäure-Kreosotlösung. Der Ge-
brauch der Ameisensäure ist ökonomischer als der der Essigsäure.

Die getrockneten Koagulationsprodukte zeigen folgende Zusammensetzung:

	1. Koaguliert mit 10 prozentiger Ameisensäure	2. Koaguliert mit 10 pro- zentiger Essigsäure und 5 prozentiger Kreosot- lösung
Kautschuk	94,21%	92,51%
Harz	2,47	2,26
Stickstoff	0,657	0,61
(Als Eiweiß).	4,11	3,81
Asche.	0,185	0,199
Unlösliche Bestandteile	3,45	4,68

Nach E. Fickendey enthält die Kickxiamilch vorwiegend Magne-
siumsalze. Sie zeichnet sich von den Milchsäften anderer Kautschuk-

bäume wesentlich durch ihre Widerstandsfähigkeit chemischen Agenzien gegenüber aus. Die gebräuchlichsten Koagulierungsmittel dieser Art versagen vollkommen bei ihr. Auch Versuche, die Emulsion durch Fällungsreaktionen, wie Erzeugung von Schwefelmilch, durch Zusatz von Natriumpolysulfid und Salzsäure, zu zerstören, schlugen fehl. Ebenso beharrt die Milch bei Zugabe von spezifischen Eiweißfällungsmitteln, wie Ferrocyankalium, im Zustande der Emulsion. Der Kickxiamilch fehlen im Gegensatz zu anderen Milcharten die Eiweißstoffe. Dieser Unterschied ist sehr bedeutungsvoll, da die Eiweißstoffe bei den anderen Milcharten als Schutzkolloide wirken und auf der Fällung dieser Schutzstoffe die Wirksamkeit der meisten dafür bekannten schnellwirkenden Koagulierungsmittel zurückzuführen sein dürfte. Die Kickxiamilch enthält nun statt der Eiweißstoffe andere Schutzstoffe, und zwar solche nicht kolloider Natur, welche durch Dialyse zu beseitigen sind, Peptone, in größeren Mengen. Setzt man nämlich z. B. zu dem Latex ein Peptonfällungsmittel, wie etwa Tannin, Pikrinsäure, Metaphosphorsäure, so tritt eine starke Flockung ein; je nach der Menge des Zusatzes bildet sich früher oder später eine bildsame Masse, wie bei der Dialyse, die beim Rühren elastisch wird. Wenn man z. B. Metaphosphorsäure in solcher Menge zusetzt, daß (gegen Phenolphthalein) eine $^1/_5$-normale Lösung entsteht, so kann man den Kautschuk nach einem Tage ausrühren.

Durch Dialyse von Kickxiamilch in Pergamenthülsen bildet sich in einem bis zwei Tagen eine weiche plastische Masse, die beim Rühren schnell zäh und elastisch wird.

W. Crossley untersuchte in einer Arbeit ,,Die Adsorption von Säuren durch die Kolloide des dialysierten Hevea-Milchsaftes'' was aus den Säuren nach ihrem Zusatz zum Kautschukmilchsaft geschieht. Er stellte Versuche mit folgenden Säuren (in $^1/_{10}$-Normalstärke) an: Essig-, Trichloressig-, Ameisen-, Salz- und Schwefelsäure. Die Ergebnisse waren folgende:

Säure	Zusatz in ccm	Freie Säure in ccm	Adsorb. Säure in ccm	Bei 1. Wiederholung der Dialyse	2. Wiederholung gefd ccm
Essigsäure.	1	0,70	0,30	—	—
	5	4,20	0,80	—	—
	11	10,05	0,95	—	—
Trichloressigsäure	1	0,30	0,70	0,65	—
	5	3,35	1,65	1,50	1,20
	11	8,70	2,30	2,15	1,85
Ameisensäure	1	0,30	0,70	—	—
	5	3,80	1,20	1,10	1,05
	11	9,75	1,25	1,15	1,05
Salzsäure	1	0,30	0,70	0,70	—
	5	3,80	1,20	1,10	1,00
	11	9,50	1,50	1,45	1,40
Schwefelsäure	1	0,30	0,70	0,65	
	5	3,80	1,20	1,10	
	11	9,50	1,50	1,25	

Die adsorbierten Säuren werden meistens sehr hartnäckig festgehalten. Formaldehyd beeinflußt die Menge der von den Kolloiden adsorbierten Säure.

Crossley leitet aus seinen Versuchen folgende Hauptsätze ab: 1. Selbst wenn nur kleine Mengen (1 ccm) von $^1/_{10}$-Normalsäure zugefügt werden, bleibt doch freie Säure in Lösung, obgleich (wie die Einzelversuche zeigen) die anwesenden Kolloide fähig sind, mehr Säure als für gewöhnlich aufzunehmen. 2. Die Aufnahmefähigkeit der Kolloide steigert sich mit der Konzentration der Säure, steht jedoch dazu nicht im direkten Verhältnis. Beide Tatsachen beruhen lediglich auf physikalischen Reaktionen. Was die typische Adsorption betrifft, so läßt sich das Verhältnis zwischen dem Konzentrationsgleichgewicht der in Lösung befindlichen Säure und der entsprechenden Menge der vom Kolloid adsorbierten Säure durch die Exponentialgleichung $x = p\,c^n$ ausdrücken. Hierin bedeutet x die Konzentration der Säure in den Kautschukkolloiden, c die Gleichgewichtskonzentration der Lösungssäure, während p und n Konstanten sind.

Bekanntlich hängt die Koagulation des Milchsaftes wesentlich von seiner Säuerung ab. Es erfolgt keine ausgesprochene Trennung in Serum und Gerinnsel, wenn die Säuerung unter einem gewissen Maß bleibt, doch auch nicht, wenn dieselbe ein gewisses Höchstmaß übersteigt. Die kolloide Oberfläche verkleinert sich, wenn Koagulation erfolgt und, wenn Adsorption eine Folge von Oberflächenkondensation ist, muß dieselbe ein Maximum bei Säurekonzentration sein, d. h. bei derjenigen Höchstsäuerung, bei welcher noch Koagulation statthat. Die Menge an Essigsäure, welche ohne Schaden zu dialysiertem Milchsaft gesetzt werden kann, so daß noch eine richtige Scheidung in Serum und Gerinnsel erfolgt, ist der Menge anderer Säuren gegenüber ziemlich beträchtlich. Die Versuche zeigen, daß bei Verwendung von Säure zur Koagulation von Heveamilchsaft eine gewisse Menge der Säure fest vom Kautschukgerinnsel adsorbiert wurde. Daraus erklärt sich die Schwierigkeit, mit Säure koagulierten Rohkautschuk völlig säurefrei auszuwaschen. Die kleine Menge Restsäure, auch im bestgewaschenen Rohkautschuk noch enthalten, muß als adsorbierte Säure angesehen werden und dürfte auf die technischen Eigenschaften des Kautschuks nicht ohne Einfluß sein. Als Gesamtergebnis der Versuche ergibt sich: 1. Die im Heveamilchsaft vorhandenen Kolloide können Säuren aufnehmen. 2. Die Reaktion ist mehr physikalisch als chemisch. 3. Die Menge der adsorbierten Säure läßt sich hauptsächlich durch die Konzentration der freien Säure beeinflussen, jedoch nur bis ein Maximum derselben erreicht ist, über welches hinaus keine Wirkung mehr erfolgt. 4. Die adsorbierte Säure wird von den Kautschukteilchen sehr zähe festgehalten und beeinflußt die physikalischen Eigenschaften des Endproduktes.

G. Flamant stellte Studien an Latex vom französischen Kongo an und gab einen Beitrag für eine allgemeine Koagulationsmethode bei Kautschuk. Er untersuchte Latices von I. Funtumia elastica, II. Landolphia ovariensis, III. von Djeké Na-Botolo. Die Analysen der aus den Latices gewonnenen Kautschukproben ergaben:

	I	II	III
Feuchtigkeit	3,0%	3,4%	3,1%
Kautschuk	85,8%	84,0%	87,5%
Harz	7,4%	8,2%	7,6%
Eiweißstoffe	3,5%	3,7%	1,5%
Unlösliche Anteile	Spuren	Spuren	Spuren

Flamant versuchte den Einfluß der Eiweißstoffe auf die Koagulationsfähigkeit der Latices festzustellen. Durch Verdünnen des Milchsaftes und Zentrifugieren trennte er den Kautschuk vom Serum. Aus dem Latex 1 und 2 isolierte er 2 Eiweißstoffe, die schwefelhaltig waren. Der eine konnte durch Alkohol, Wärme, KCl, NaCl, $MgSO_4$ und Schwermetallsalze ausgeschieden werden. Der zweite Eiweißstoff war in Alkohol etwas löslich und wurde durch Wärme langsam und unvollständig gefällt. Er koaguliert durch Kohlensäure in neutraler und saurer Lösung, durch Essigsäure und NaCl. Die beiden Latices 1 und 2 enthielten diese Eiweißstoffe in verschiedenen Mengenverhältnissen. Flamant zieht folgende Schlüsse: 1. Kautschuk in fein verteiltem Zustande emulgiert leicht in Gegenwart kolloider Lösungen; 2. Die im Latex vorhandenen Eiweißstoffe sind die einzige Ursache seines physikalischen Zustandes und der einzige Grund seiner freiwilligen Koagulation; 3. Durch sorgfältiges Studium der Natur dieser Eiweißstoffe und ihrer Koagulationsmittel wird man durch die gleichen Mittel immer eine schnelle und vollständige Koagulation bei Kautschuk erhalten. 4. Ein Latex wird um so leichter freiwillig koagulieren, je weniger Eiweißstoffe er enthält.

Im Latex und im daraus ausgeschiedenen Rohgummi sind die anorganischen Elemente mehr oder weniger folgende: Eisen (Fe), Aluminium (Al), Calcium (Ca), Magnesium (Mg), Kalium (K) und Natrium (Na); darunter finden sich auch wohl kleine Mengen von Chloriden (Cl), Sulfaten (SO_4) und manchmal auch Phosphate (PO_4).

D. Spence brachte eine hübsche Methode zur Analyse der anorganischen Bestandteile des Latex in Anwendung, welche auf der Dialyse des Milchsaftes beruht. Ein bekanntes Volumen Latex (50 ccm) wird in ein Dialysenrohr von gewöhnlicher wurstförmiger Gestalt gegeben, welches in eine weithalsige zugekorkte Flasche von etwa 200 ccm Fassungsraum eingesetzt wird. Der Latex wird mit einer abgemessenen Menge destillierten Wassers (100—150 ccm) 40 Stunden lang dialysiert. Wenn auf beiden Seiten der Membran der Gleichgewichtszustand hergestellt ist, so wird das Dialysat in einen graduierten Zylinder gegossen und sein Volumen gemessen. Dann wird es auf dem Wasserbade zur Trockene eingedampft, der verbleibende rötlichbraune Rückstand im Vakuum über Schwefelsäure bis zur Gewichtsbeständigkeit getrocknet und das Endgewicht notiert. Drei Versuche werden in jedem Falle angesetzt, zwei für die quantitative und eine dritte für die qualitative Prüfung. Der von jedem Versuche nach der Dialyse verbleibende Latex

wird mit dem anhaftenden Wasser und ·dem koagulierten Kautschuk
in ein Platingefäß überbracht, in welchem er zur Trockene eingedampft
und verascht wird; die restliche Asche wird gewogen und für die qualitative Prüfung zurückgestellt. Der Rückstand des Dialysates, welcher
bei Funtumia elastica stark in Wasser löslich und von süßlichem Ge-
schmacke war, wurde in drei Experimenten wie folgt behandelt: Der
erste wird im Wasser gelöst, in ein Platingefäß überbracht, verascht
und die Asche gewogen; die verbleibende Asche wird quantitativ untersucht. Das Dialysat des zweiten Versuches wird mit heißem absoluten
Alkohol extrahiert und der Extrakt, welcher aus organischen Säuren,
deren löslichen Salzen und einigen löslichen Zuckerarten besteht, wird
von den anorganischen Salzen und gewissen zuckerähnlichen Hexa-
hydrobenzolderivaten abgetrennt und gewogen. Die weitere Trennung
und Identifikation der Substanzen in diesen zwei Fraktionen kann in
geeigneter Weise vorgenommen werden. Das dritte Dialysat wird für
die allgemeine qualitative Analyse zurückgestellt, welche der quanti-
tätiven Bestimmung vorauszugehen hat; weiter dient es für die Isolierung
der vorhandenen zuckerähnlichen Substanzen. Die durch diese Methode
erhaltenen Werte für ein Latexmuster von Funtumia elastica waren
folgende:

Versuch 1. 50 ccm Latex während 40 Stunden mit 100 ccm H_2O
dialysiert gaben:

Endvolumen des Dialysates 92   ccm
Gewicht des hieraus verbleibenden
Rückstandes . . . . 0,5282 g
Gewicht der Asche dieses Letzteren 0,0682 g
Gewicht der Asche des latex nach der
Dialyse . . . . 0,0628 g

Versuch 2. 50 ccm Latex mit 150 ccm H_2O dialysiert gaben:

Endvolumen 139,   ccm
Gewicht des Rückstandes aus dem
Dialysat . . . . 0,6234 g

Versuch 3. 50 ccm Latex mehrere Tage lang in fließendem Wasser
dialysiert, dann 24 Stunden in mehreren Litern dest. Wasser ergaben:
Asche im Latex bei der Veraschung = 0,0272 g = 0,0544% (bestehend
aus Fe''', Ca'', PO_4''').

Aus diesen Werten kann durch einfache Proportion der Prozentgehalt an Kristalloiden im Latex berechnet werden.

Krystalloide, aus dem Dialysat berechnet, Exp. 1 = 1,565%.

Krystalloide, aus dem Dialysat berechnet, Exp. 2 = 1,575%, wovon
annähernd 20% ·in Alkohol löslich sind.

Anorganische Krystalloide, berechnet aus der Asche des Dialysates
aus Exp. 1 = 0,206%.

Hier beträgt der Prozentgehalt an organischen Krystalloiden (Zucker,
org. Säuren und stickstoffhaltigen Bestandteilen) in dem Latexmuster

von Funtumia elastica 1,4%, wovon ungefähr 20% in Alkohol löslich sind und wahrscheinlich die organischen Säuren und deren lösliche Salze vorstellen. Der Alkoholextrakt reduzierte Fehlingsche Lösung, wurde aber wegen Mangel an genügendem Material nicht weiter untersucht.

Die Menge der krystallinischen Bestandteile (Asche) in dem Latex, berechnet aus dem:

Gewicht der Asche aus dem Dialysate aus Exp. 1 = 0,206%.

Gewicht der Asche des Latex von Exp. 1 nach der Dialyse weniger das Gewicht der Asche im Latex von Exp. 3, welche unlösliche und nicht krystallinische Bestandteile vorstellt = 0,211%

Diese Werte, welche gut miteinander übereinstimmen, stellen demzufolge den Prozentgehalt an anorganischer Asche vor, welche im Latex in Form löslicher Salze (anorganischer Krystalloide) vorhanden ist. Wenn wir zu dieser Zahl den durch Exp. 3 ermittelten Prozentgehalt an Asche hinzuzählen (0,0544), welcher die nicht dialysierbaren und unlöslichen anorganischen Substanzen vorstellt, erhalten wir in jedem Falle einen Wert (0,26% und 0,265%), welcher nahezu genau mit dem übereinstimmt, welcher durch direkte Veraschung von 20 ccm des ursprünglichen Latex erhalten wurde (0,265%).

Kalium war hauptsächlich als Phosphat vorhanden, ferner auch als Sulfat und in Verbindung mit organischen Säuren als lösliches Salz. Magnesium war nur in Spuren da. Calcium und Eisen sind wahrscheinlich als unlösliche Phosphate, Sulfate und Oxalate anwesend.

Ficus Vogelii zeigt eine außerordentliche Verbreitung in französisch Guinea, Liberia und an der Goldküste Um eine Qualitätsverbesserung des aus diesen Bäumen gewonnenen Kautschuks zu erzielen, untersuchte D. Spence den Latex derselben, der mit Formalin konserviert war. Spence koagulierte durch Erwärmen und untersuchte den gewaschenen Kautschuk getrennt von der Mutterlauge; er fand in 2 Proben Latex:

	I		II	
Techn. reinen Kautschuk . . .	33,8	%	32,4	%
Dessen Analyse:				
Kautschuk	64,36	%	59,08	%
Harze	32,90	%	37,84	%
Stickstoff	0,305	%	0,287	%
Protein	1,9	%	1,8	%
Mineralsubstanz	0,21	%	0,33	%
Unlösliche Substanz	2,54	%	3,26	%
Worin Stickstoff	5,6	%	4,3	%

Der Kautschuk war von minderwertiger Qualität und infolge seines Harzgehaltes ungemein klebrig, seine Asche enthält Mg, Fe, Ca, K (Spuren) und etwas H_3PO_4. Die filtrierten Mutterlaugen ergaben:

	I		II	
Feste Bestandteile	3,1	%	3,95	%
Asche	1,05	%	1,24	%
Asche aus den festen Bestandteilen	32,67	%	31,42	%
N		0,0095%	0,0196%	
N berechnet auf feste Bestandteile	0,307	%	0,49	%

Die Asche bestand aus:

MgO	16,82	%	28,97	%
CaO	3,2	%	3,2	%
$Fe_2O_3 + Al_2O_3$	1,1	%	1,6	%
K_2O	30,4	%	29,3	%
Cl	50,4	%	35,9	%

Während sich die Latices von Funtumia und Hevea reich an Phosphaten, arm an Chloriden erwiesen haben, gilt für Ficus Vogelii gerade das Umgekehrte.

Die Untersuchungen von D. Spence am Latex von Ficus Vogelii sind nicht vollkommen einwandfrei, weil sie an pasteurisiertem Latex vorgenommen wurden. Schon geringfügige Zusätze verändern das Gleichgewicht der Suspension. Es ist daher klar, daß man solche Studien nicht an pasteurisierten oder alten Milchsäften ausführen darf. Schon durch längeres Stehen verändert sich das Gleichgewicht der Suspension, alle Resultate der Untersuchungen an einer alten Milch entsprechen nicht den Verhältnissen in der Natur und in der Praxis, sind daher nicht wissenschaftlich einwandfrei, daher wertlos.

Die Feinheit der netzartigen Struktur des Kautschuks ist abhängig von der Natur des Koagulationsmittels, von der Schnelligkeit und dem Grade der Koagulation. Daher können die elastischen Eigenschaften des Kautschuks je nach dem verwendeten Koagulierungsmittel verschieden sein.

Spence ist der Anschauung, daß die Koagulation durch Störung des Gleichgewichts der Kräfte im Milchsafte bewirkt wird und nicht durch die Gegenwart eines Proteinhäutchens, welches durch Koagulation den Kautschuk mit niederreißt.

Analyse des Latex von Funtumia elastica Stapf und des aus demselben gebildeten Kautschuks: 100 g desselben wurden durch Kochen koaguliert, nachdem mit verdünnter Essigsäure angesäuert worden war. Die Ergebnisse waren folgende:

Wasser	76,2	%
Kautschuk	19,85	%
Harze und acetonlösliche Produkte	2,00	%
Organ. Krystalloide (Zucker, organ. Säuren und gewisse stickstoffhaltige Verbindungen)	1,39	%
Unlösliches (hauptsächlich Protein) .	0,36	%
Gesamt-Stickstoff	0,438	%

(als Protein) . . . .   2,73 %
Mineralische Bestandteile (Asche)
hauptsächl. K, Fe, Ca, Mg anwesend
als Phosphate, Sulfate und Oxalate,
von welchen etwa 0,21 K als lösliches K-Salz vorhanden ist . . .   0,266%

Da im allgemeinen der Prozentgehalt dieses Latex an Kautschuk
viel höher ist, so dürfte das Muster jedenfalls von einem jungen Baume
stammen.

Analyse eines gewaschenen Rohkautschukmusters aus dem Latex
von Funtumia elastica Stapf durch Essigsäure und alkoholische Kreosot-
lösung gewonnen:

Kautschuk . . . . 88,9 %
Harz . . . . 9,6 %
Unlösliche Verunreinigungen, haupt-
sächlich Protein 1,47%
Feuchtigkeit . . . . 0,4 %
Stickstoff 0,93%
(als Protein) . . . . 5,8 %
Asche (Fe_2O_3, CaO und PO_4 haupt-
sächlich 0,09%

Spence ist der Anschauung, daß ein Teil der sich in jedem Parakautschuk vorfindenden harzigen Verunreinigungen Zwischenprodukte
eines Prozesses sind, der in der Pflanze selbst vor sich geht. Er konnte
aus dem rohen harzigen Extrakte eines frischen Musters von südame-
rikanischen Para eine Substanz isolieren, welche identisch ist mit einem
Produkte, das durch die direkte Oxydation eines Parahäutchens erhalten wurde. Eigentliche Studien in dieser Richtung machte Spence
an einem Kautschuk von Ficus Vogelii, welcher 35% Harz enthielt.
Spence erhielt dieses Harz durch Extrahieren mit Aceton. Er reinigte
es durch Umkrystallisieren aus Aceton, dann aus siedendem Alkohol.
Das Harz ist löslich in Äther, Chloroform und Benzol, weniger löslich
in Petroläther, kaltem Aceton und Alkohol. Es ist nicht verseifbar.
Die Analysen ergaben:

0,1612 g Substanz gaben 0,4803 g CO_2
und 0,1610 g H_2O
0,1996 g Substanz gaben 0,5966 g CO_2
und 0,2018 g H_2O

I	II
C = 81,27%	C = 81,52%
H = 11,10%	H = 11,23%

Eine sorgfältige Untersuchung des Produktes ergab, daß zwei verschiedene Krystallarten vorhanden sind, und zwar rhomboedrische und
warzenförmige Nädelchen. Zur Trennung wurde wiederholt fraktionierte
Krystallisation aus Alkohol angewandt. Die eine Fraktion zeigt einen

Schmelzpunkt zwischen 188—202°, die andere 153—158°. Die Fraktion mit dem höheren Schmelzpunkte wurde dreimal aus Alkohol umkrystallisiert und zeigte dann einen Schmelzpunkt von 201—205°. Die Analyse ergab folgende Werte:

$$0,1772 \text{ g Substanz ergaben } 0,5326 \text{ g } CO_2$$
$$\text{und } 0,1757 \text{ g } H_2O$$
$$0,1797 \text{ g Substanz ergaben } 0,5406 \text{ g } CO_2$$
$$\text{und } 0,1809 \text{ g } H_2O$$

Gefunden:

I	II
C = 81,96%	C = 82,05%
H = 11,02%	H = 11,19%

Berechnet nach:

$$C_{16}H_{26}O \text{ (Mol.-Gew.} = 234)$$
$$C = 82,05\%$$
$$H = 11,10\%$$

Das Molekulargewicht wurde nach der Gefrierpunktmethode bestimmt und ergab 438. Aus den verschiedenen Reaktionen, welche die Substanz gibt, schließt Spence auf folgende Strukturformel $C_{30}H_{48}(OCH_2)_2$. Hiermit wäre die Verwandtschaft mit der Klasse der Terpene eine ausgesprochene und wäre das Produkt der Dimethylester eines Oxypolyterpens. Spence hatte zu wenig Material, um die wahre Konstitution des Produktes endgültig zu entscheiden.

Die zweite Fraktion zeigte nach wiederholtem Umkrystallisieren aus Alkohol den Schmelzpunkt 154°. Die Analyse ergab:

$$0,1492 \text{ g Substanz gaben } 0,4486 \text{ g } CO_2$$
$$\text{und } 0,1502 \text{ g } H_2O$$
$$0,1144 \text{ g Substanz gaben } 0,3428 \text{ g } CO_2$$
$$\text{und } 0,1134 \text{ g } H_2O$$

Gefunden:

I	II
C = 82,00%	C = 81,72%
H = 11,19%	H = 11,02%

Berechnet:

$$C_{16}H_{26}O$$
$$C = 82,05\%$$
$$H = 11,10\%$$

Aus den gemachten Molekulargewichtsbestimmungen konnte man keinen Schluß ziehen, jedenfalls liegt aber eine Isomerie mit dem anderen Produkte vor.

Spence ist der Anschauung, daß die Kautschukharze als Zwischenreduktionsprodukte der zuckerähnlichen Substanzen in der Pflanze betrachtet werden können. Er meint, es müßte durch geeignete Reduktionsmittel möglich sein, die Harze vollständig in Kautschuk zu reduzieren. Durch passende Reduktionsmethoden könnte man viele Handelskautschuke, welche des Harzgehaltes wegen mindere Qualität besitzen, ganz bedeutend verbessern.

Tschirch und Stevens beobachteten in Kautschuksorten oxydierende Enzyme. Nachdem sich diese Enzyme ganz ähnlich wie die unlöslichen Bestandteile des Parakautschuks verhalten, kam Spence auf die Idee, daß das Dunkelwerden des Rohkautschuks durch solche Enzyme verursacht wird. Zur Vorprüfung zum Nachweise von Oxydasen bedient sich Spence der Guajaktinktur. Er extrahierte einen fein zerschnittenen Parakautschuk 7—10 Tage lang mit Wasser und konnte im Extrakt ein Ferment nachweisen, das bei Gegenwart von Wasserstoffsuperoxyd Guajaktinktur tiefblau färbt, durch Kochen aber zerstört wird. Es handelt sich um eine sogenannte Peroxydase, das ist eine indirekte Oxydase, welche nur bei Gegenwart von Wasserstoffsuperoxyd wirkt. Spence dialysierte das Extrakt 24 Stunden lang und untersuchte je 10 ccm dieses Extraktes mit verschiedenen Reagenzien:

Reagens	10 ccm Extrakt gekocht mit H_2O_2	10 ccm Extrakt ohne H_2O_2	10 ccm Extrakt mit H_2O_2
1. Guajaktinktur . .	reinweiß	reinweiß unveränd.	tiefblau in 5 Min.
2. p-Phenylendiamin	farblos	farblos	tiefbraunrot
3. o-Phenylendiamin	schwachgelb	farblos	gelb, schließlich rot
4. α-Naphthol . . .	farblos	farblos nach 2 Std.	deutlich braun
5. Phenolphthalein .	schwachrosa	farblos nach 2 Std.	tiefrosa
6. Hydrochinon . .	farblos	farblos nach 2 Std.	intensiv weinrot
7. Amidol	schwachrosa	schwachrosa	tiefkirschrot
8. Pyrogallol . . .	unverändert in 24 Std.	unverändert	gelbe Lösung und brauner Niederschl.
9. Indophenol Mixt.	schwach gefärbt	unverändert	tiefviolett
10. Tyrosin	unverändert	unverändert	unverändert

Nach diesen Reaktionen ist das Peroxydaseenzym im dialysierten Extrakt erwiesen. 20 ccm des Extraktes machen in einem Eudiometerrohre über Quecksilber in wenigen Stunden aus Wasserstoffsuperoxyd 12 ccm Sauerstoff frei.

Spence isolierte die Oxydase in folgender Weise: Er extrahierte einen feingeschnittenen rohen Parakautschuk längere Zeit mit 40 proz. Alkohol, filtrierte und fällte das Extrakt mit absolutem Alkohol, wobei sich beim Stehen eine kautschukartige Masse abschied. Diese löste er wieder in 40 proz. Alkohol, fällte wieder mit absolutem Alkohol und wiederholte diese Operation dreimal. Das resultierende Produkt war bedeutend reaktionsfähiger als das ursprüngliche Extrakt. Die Aktivität der Substanz wurde durch Cyankalium, Natriumfluorid, Quecksilberchlorid, Mineralsäure und Alkalien aufgehoben. Gegen Hitze war die Peroxydase sehr beständig. Nach vorherigem Sieden gewann die wässerige Lösung nach längerem Stehen ihre Aktivität wieder. Die Peroxydase reagierte nicht gegen Millons Reagens, gab auch nicht die Biuretreaktion.

Die Peroxydase ist bloß bei Gegenwart eines Peroxyds aktiv, deshalb kann sie nicht allein die Ursache des schnellen Dunkelwerdens des Kautschuks an der Oberfläche sein. Deshalb prüfte S p e n c e den unlöslichen Bestandteil des Parakautschuks noch auf ein Oxygenasekomplement. Bei festem Kautschuk blieben die Versuche erfolglos, hingegen im frischen Latex von Funtumia elastica erhielt S p e n c e eine Oxygenase und eine Peroxydase. Die aus dem Latex erhaltene Oxydase stellt einen dunkelbraunen, schwer in Wasser löslichen, öligen Körper vor. Die wässerige Lösung gibt mit verschiedenen reduzierenden Reagenzien auch ohne Wasserstoffsuperoxyd positive Reaktionen, mithin enthält sie das Oxydasekomplement. Der aus Latex isolierte eiweißfreie Kautschuk ist schneeweiß und dunkelt nicht nach, während der eiweißhaltige Kautschuk aus demselben Latex gewonnen schon in einer Woche schwarz wurde. Daraus folgert S p e n c e , daß das Dunkelwerden des rohen Kautschuks durch eine Oxydase verursacht wird, welche an den unlöslichen Bestandteil des Kautschuks gebunden ist.

S p e n c e hält den Kautschuk für einen Reservenährstoff, welcher durch die oxydierenden Enzyme zersetzt wird, wenn die Pflanze Not leidet.

Nach Cl. B e a d l e und H. P. S t e v e n s hängt der Wert des Latex stark davon ab, in welchem Verhältnis der enthaltene Kautschuk zum Harze steht. Die Qualität des Rohkautschuks wird durch die zum Trennen des Kautschuks vom Latex angewandten Mittel und durch die Behandlung, welcher der Kautschuk unterzogen wird, beeinflußt, ferner durch die zur Entfernung der Feuchtigkeit angewandten Mittel und durch die Menge stickstoffhaltiger und anderer organischer Substanzen. Neben dem Koagulationsmittel spielen aber auch Temperatur, Verdünnung, Menge des Koagulationsmittels, Dauer der Koagulation, Anwendung von Schutzmitteln usw. eine große Rolle. Nach der Koagulation kommen noch andere Faktoren in Betracht, so die Zeit, welche vor dem Waschprozesse verstrichen ist, der Waschprozeß selbst und der Grad der mechanischen Einwirkung während des Waschprozesses, dann das Maß des Trocknens, die Temperatur während des Trocknens und die Anwendung von antiseptischen Mitteln beim Trocknen.

Nach Cl. B e a d l e und H. P. S t e v e n s löst sich Latex aus Plantagenkautschuk-Crepe, der aus dem frischen Koagulum durch Waschen in Walzmühlen mit verschieden schnellaufenden Walzen bereitet wird, leicht und liefert mit Benzin eine scheinbar klare Lösung. Erst nach mehrmonatigem Stehen bemerkt man die Bildung eines weißlichen Niederschlages, welcher sich unter gleichzeitiger deutlicher Viscositätsabnahme der Lösung absetzt. Nach weiteren 12 Monaten kommt die Niederschlagbildung zum Stillstand. Selbst nach 3 Jahren verändert sich die Viscosität nicht mehr weiter. Der Niederschlag ist stickstoffreich. Nicht gekrepter, sondern bloß durch zwei gleichschnell laufende Walzen gequetschter Kautschuk löst sich in Benzin weit langsamer und ergibt eine voluminöse Masse von häutiger Beschaffenheit, welche ungelöst zurückbleibt und sich bald zusammenhängend absetzt. Fast der gesamte färbunggebende Körper in dunklen Kautschuken wird von dem unlöslichen Protein adsorbiert und zurückgehalten. Cl. Beadle und H. P. Stevens behandelten 4 Muster in folgender Weise vor:

Muster 1: Ursprünglich geräucherte Felle, unbehandelt.
Muster 2: do., in Benzin gequollen.
Muster 3: do., unterer stickstoffhaltiger Teil, liefert einen sehr dunklen Kautschuk.
Muster 4: do., oberer Teil der Lösung, fast stickstoffrei, liefert einen hellen Kautschuk.

Diese wurden gleichmäßig mit 5% Schwefel gemischt, gleichmäßig vulkanisiert und hernach auf der Schwarzschen Maschine den gewöhnlichen Prüfungen unterworfen. Es sollte festgestellt werden, welchen Einfluß das Quellen in Benzin und nachherige Abdunstenlassen auf die Eigenschaften des Kautschuks haben würde. Die Resultate waren folgende:

	1	2	3	4
Stickstoffgehalt von unvulkanisierten Kautschuken				
Stickstoff in Proz. vom Kautschuk	0,48	0,48	0,80	0,25
Untersuchung von vulkanisierten Kautschuken				
3 stündige Vulkanisation bei einem Druck von 2,10 kg/qcm				
Freier Schwefel in Proz. vom Kautschuk	2,32	2,20	1,70	4,45
Gebundener Schwefel	2,68	2,80	3,30	0,55
Prozentuale Dehnung bei konstanter Belastung (200 g/qmm)				
1. Beanspruchung	321,6	322,4	291,2	470,4
5. „	487,2	481,6	417,6	656,0
Nachschwankung	46,8	46,0	37,6	125,6
3 stündige Vulkanisation bei einem Druck von 2,46 kg/qcm				
Freier Schwefel in Proz. vom Kautschuk	1,24	1,23	0,79	2,54
Gebundener Schwefel	3,76	3,77	4,21	2,46
Prozentuale Dehnung bei konstanter Belastung (200 g/qmm)				
1. Beanspruchung	303,2	309,2	305,2	452,4
5. „	429,2	444,0	401,6	716,0
Nachschwankung	30,4	32,8	26,4	77,2

Das hervorstechendste Ergebnis dieser Versuche ist der hohe Prozentgehalt an solchem Schwefel, der bei dem Muster mit dem größeren Gehalt an Proteinkörpern gebunden wurde, andererseits der um soviel geringere Prozentgehalt an gebundenem Schwefel in dem Muster, das praktisch frei von Proteinkörpern war. Das Protein übt also einen ähnlichen Einfluß als Schwefelträger aus wie Bleiglätte oder Antimonsulfid. Der Proteingehalt des Latex ist somit ein wesentlicher Faktor für die Kautschukqualität.

III. Das Molekulargewicht vom Kautschuk.

C. O. Weber: Berichte d. Deutsch. chem. Gesellschaft **36**, 3108. 1903.
F. W. Hinrichsen und E. Kindscher: Zur Frage der Molekulargröße des
Kautschuks im Latex. Berichte d. Deutsch. chem. Gesellschaft 42. Jahrg.,
Nr. 16, S. 4329—4331. 1909.
P. Bary: Annähernder Wert des Molekulargewichtes von Kautschuk. Compt.
rend. de l'Acad. des Sc. **154**, 1159—1160.

Mit der Frage der Molekulargröße des Kautschuks beschäftigten
sich mehrere Forscher. Wenn diese Frage ältere Krystallchemiker an-
geschnitten haben, dann ist es verzeihlich, für einen Kolloidchemiker
hingegen ist ein derartiges Beginnen überhaupt undiskutabel. Trotzdem wurde erst in allerjüngster Zeit von einem gewissen P. Bary natürlich fruchtlos an diesem Thema gearbeitet. Zunächst zu den älteren
Arbeiten, die zu entschuldigen sind. Gladstone und Hibbert geben
die Molekulargröße des Kautschuks mit 6504 an. C. O. Weber spricht
die Vermutung aus, daß der im Latex vorhandene Kautschuk ein niedrig
molekularer Kohlenwasserstoff vom Molekulargewicht 272 sei. Erst
durch Polymerisation bildet sich der technische Kautschuk von höherem
Molekulargewicht. W. Hinrichsen und E. Kindscher bestimmten
das Molekulargewicht des Kautschuks aus dem Kickxialatex (Kamerun)
aus der Gefrierpunktserniedrigung im Beckmannschen Apparate und
gelangten zur Zahl 3173.

Trotz der großen Fortschritte der Kolloidchemie und der damit verbundenen Ansicht über das Molekulargewicht von Kolloiden bestimmte
P. Bary noch einmal im Jahre 1912 annähernd das Molekulargewicht
des Kautschuks. Dabei geht er von folgendem Gedanken aus. Wenn
ein Gemisch von Kautschuk und Schwefel unter Druck erhitzt wird,
so ist die Menge des gebundenen Schwefels nicht so groß, wie zur Absättigung aller Enddoppelbindungen nötig wäre; das Gemisch enthält
Moleküle nicht vulkanisierten Kautschuks und Moleküle eines Kautschuksulfids, $(C_{10}H_{16})_nS_2$, welche mit Hilfe der Löslichkeit des ersteren
in kaltem Benzin getrennt werden können. Vermehrt man die Menge
des gebundenen Schwefels, so kommt ein Punkt, an welchem der Kautschuk in der Kälte vollständig unlöslich wird. Das so erhaltene Produkt
entspricht im Durchschnitt der Formel $(C_{10}H_{16})_nS_2$. Da die gelindeste
Vulkanisation zu einem Produkt führt, welches $2^1/_2\%$ gebundenen

Schwefel enthält, so berechnet sich $n = \dfrac{97,5 \cdot 32,2}{2,5 \cdot 136} = 18,4.$ Der

Wert steht in guter Übereinstimmung mit der von O. Weber für die
tiefsten Kautschuksulfide angegebenen Formel $C_{200}H_{320}S_2$, aus welcher
sich für n die Zahl 20 ergibt. Das Molekulargewicht von Kautschuk bei
der Vulkanisationstemperatur (140°) dürfte also nahe $136 \cdot 20 = 2720$,
bei niederer Temperatur aber weit größer sein.

An P. Bary scheint die ganze moderne Kolloidchemie spurlos vor-
übergegangen zu sein. Es ist ihm unbekannt, daß der Kautschuk ein
Polykoagulasystem vorstellt, es ist ihm unbekannt, daß die Molekular-

größe eines Kolloids bei jeder Temperatur eine andere ist, daß das Molekulargewicht vom Dispersitätsgrade des Kautschuks abhängig ist und daß der Dispersitätsgrad des Kautschuks ununterbrochen variiert. Außerdem beruhen die physikalischen Methoden der Molekulargewichtsbestimmung auf der Voraussetzung, daß die Substanz in der Lösung wirklich in Molekeln zersplittert wird. Diese Voraussetzung trifft bereits bei Krystalloiden nicht immer zu, bei Kolloiden bildet sie geradezu die Ausnahme. In kolloiden Lösungen haben wir es meistens mit Molekelgruppen zu tun.

Daraus erhellt, daß alle physikalischen Methoden zur Bestimmung des Molekulargewichts an Kolloiden nichts weiter als mißglückte Versuche sind. Leider gibt es noch eine Unzahl von Krystallchemikern, die immer und immer wieder Molekulargewichtsbestimmungen an Kolloiden durchführen wollen. Sie übertragen ihre in der Krystallchemie berechtigten Methoden auf ein Gebiet, auf welchem sie nicht anwendbar sind. Sehr richtig schreibt H. Bechhold: „Das Molekulargewicht ist der Ausdruck einer chemischen Betrachtung, das bei Kolloiden durch die physikalischen Methoden nicht zu ermitteln ist. Was wir durch letztere Methoden finden, sind Gruppen von mehr oder minder zahlreichen Molekeln. Beim heutigen Stand der Wissenschaft können wir nur erstreben, Teilchengrößen von Kolloiden in Lösungen bei verschiedenen Gleichgewichten zu ermitteln."

IV. Das Kautschukharz als Adsorbendum im Kautschukkolloid und die Adsorptionsisotherme als Charakteristikum für die Kautschuksorte.

D. Spence und J. H. Scott: Beiträge zur Chemie des Kautschuks. II. Physikochemische Untersuchung der Harzextraktion. Kolloidzeitschr. 9, Heft 2, S. 83—85. 1911.

Meyer Wildermann (London): Verfahren zur Zerlegung von Rohkautschuk in wertvolle und minderwertige Anteile. D. R. P. Nr. 229 386, Klasse 39 b, Gruppe 1.

Es ist allgemein bekannt, daß die vollständige Extraktion der Harzstoffe aus dem Kautschuk ein überaus langwieriger Prozeß ist. Sie erinnert an die Extraktion von Salzen aus Gelatine. D. Spence und J. H. Scott unterwarfen Kautschuk einer wiederholten Extraktion mit einem bestimmten Volumen von siedendem Aceton so lange, bis das Aceton weitere Quantitäten von löslichen Bestandteilen nicht mehr auszog. Zunächst wurde die Zeit bestimmt, die erforderlich ist, um ein Gleichgewicht zwischen der Lösung des Harzes in siedendem Aceton, dem Kautschuk und dem Harz des Kautschuks zu erreichen. Die Versuche zeigen, daß das Gleichgewicht für alle praktischen Zwecke in einer halben Stunde erreicht ist. In einem Extraktionsapparate wurden sodann 20 g Kautschuk in dünnen Schichten gebracht und mit 150 ccm über $CaCl_2$ getrocknetem und frisch destillierten Aceton beim Siedepunkt des Acetons

mit aufeinanderfolgenden Wechsel der Lösung in 10 Perioden von je
einer Stunde extrahiert. Die in den aufeinanderfolgenden Perioden
extrahierten Harzmengen betrugen: 5,34, 1,83, 0,73, 0,36, 0,13, 0,07,
0,061, 0,032, 0,024, 0,017%. Bei der graphischen Darstellung dieser
Resultate zeigt sich, daß die Kurve in jeder Hinsicht der von W. M.
Bayliss bei der Extraktion von Salzen aus Gelatine durch Wasser erhaltenen Extraktionskurve ähnlich ist. Sie ist eine typische Adsorptionsisotherme. Zu den gleichen Ergebnissen gelangten die
beiden Chemiker bei der graphischen Darstellung der von P. Zilchert
bei der Extraktion von Kautschukharzen ermittelten Werte. Die Versuche von P. Zilchert deuten an, daß es gewisse Unterschiede im Adsorptionsvermögen der verschiedenen Kautschuksorten gibt.

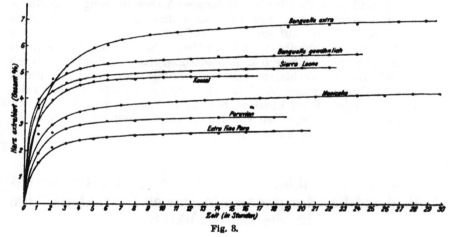

Fig. 8.

D. Spence und J. H. Scott halten es für möglich, daß sogar Differenzen im Adsorptionsvermögen, bestimmt durch die Unterschiede im
Dispersitätsgrade der verschiedenen Kautschuke, als bestehend bewiesen werden können, Unterschiede, welche bei der Wertbestimmung
von rohem Kautschuk von Wichtigkeit sein werden.

Was D. Spence und J. H. Scott auf theoretischem Wege erwiesen
haben, das ist bereits M. Wildermann in London im Jahre 1906 auf-
gefallen. Sein D.R.P. Nr. 229386, Klasse 39b. Gruppe 1 „Verfahren zur
Zerlegung von Rohkautschuk in wertvolle und minderwertige Anteile",
beruht auf dem Gedanken, zur Reinigung von Rohkautschuk ein Lösungsmittel zu verwenden, welches imstande ist, nicht nur die Harze
allein, sondern auch einen Teil der eigentlichen Kautschuksubstanz
selbst aufzulösen, um dem Lösungsmittel dadurch in verhältnismäßig
kurzer Zeit den Zutritt auch zu dem Inneren des Kautschuks zu verschaffen, ohne dabei jedoch den Hauptbestandteil des Kautschuks aufzulösen, wobei das Lösungsmittel in seiner ursprünglichen Zusammensetzung erhalten bleibt und deshalb im Kreisprozeß für weitere Verwendung benutzt werden kann. Zu dieser Auflösung der Harze und eines

Teils des eigentlichen Kautschuks wird ein Lösungsgemisch aus zwei Lösungsmitteln verwendet, von denen die eine aus einem oder mehreren einheitlichen Lösungsmitteln bestehende Komponente so beschaffen ist, daß es für sich allein sowohl die eigentliche Kautschuksubstanz als auch die Harze aufzulösen vermag, während die andere zweite Komponente, welche wieder aus einem oder mehreren einheitlichen Lösungsmitteln bestehen kann, nur Harze aufzulösen vermag, sofern dieselben nicht im Kautschuk eingeschlossen sind, während die Mischung selbst die Eigenschaft hat, sowohl die Harze als auch einen Teil des Kautschuk- kolloids selbst aufzulösen und sich dadurch einen leichten Zutritt zu dem Innern der Masse zu verschaffen.

Die Zusammensetzung des Gemisches ergibt sich aus folgender Be- trachtung: Nimmt man eine große Menge des ersten Mittels, welches sämtliche Harze und den ganzen Kautschuk aufzulösen vermag, wie Chloroform, Benzin, Schwefelkohlenstoff, Kohlenstofftetrachlorid usw., und nur eine sehr kleine Menge des zweiten, im wesentlichen nur Harze auflösenden Mittels, wie beispielsweise Äthylalkohol, Methylalkohol, Aceton usw., dann wird dieses Gemisch noch die Eigenschaften des ersten Lösungsmittels besitzen. Nimmt man dagegen eine große Menge des zweiten Lösungsmittels und eine kleine Menge des ersten Lösungs- mittels, dann besitzt das Gemisch im wesentlichen die Eigenschaften des zweiten Mittels; beide derartige Gemische können zur Zerlegung von Rohkautschuk in wertvolle und minderwertige Anteile nicht be- nutzt werden. Beim Übergang von dem einen Ende der Gemischkurve zum anderen werden die Gemische nach und nach jedoch die Eigen- schaften des ersten Mittels verlieren und mehr und mehr die des zweiten annehmen und man findet die gewünschten Gemische, welche für einen zu behandelnden Rohgummi einen Teil des Kautschuks selbst auflösen und sich so den leichten Zutritt zu dem Innern der Masse verschaffen. Durch Änderung in der Zusammensetzung des Gemisches können dann die Mengenverhältnisse des abzuscheidenden, d. i. des mit den Harzen aufzulösenden Teiles des Kautschuks selbst in leicht ersichtlicher Weise geändert werden.

V. Die Brown-Zsigmondysche Bewegung der Globuloide im Latex.

Bereits im Jahre 1827 entdeckte der englische Botaniker Robert Brown an Pflanzenpollen, die in Wasser suspendiert waren, eigentüm- liche Bewegungserscheinungen. In der Folge benannte man alle ähn- lich verlaufenden Bewegungen nach ihm. Auch die einzelnen Teilchen einer dispersen Phase führen eine zitternde und rotierende, in kolloiden Lösungen auch eine tanzende, hüpfende, springende (R. Zsigmondy) Bewegung aus. Folgende Faktoren bestimmen das Zustandekommen und die Geschwindigkeit der Brown-Zsigmondyschen Bewegung in kolloiden Lösungen: die spezifische Oberfläche der Teilchen, die Viscosität des Dispersionsmittels, die Temperatur, die Konzentration, chemische Wirkungen zwischen Dispersionsmittel und disperser Phase. Die Bewegung wird um so lebhafter, je kleiner die Teilchen der dispersen Phase sind; die Bewegung kann nicht zurückgeführt werden auf Konzentrationsänderungen durch Verdunstung. Sie hält Monate, ja selbst Jahre an. Die Teilchen scheinen einander zu beeinflussen, und die Lebhaftigkeit der Bewegungen nimmt anscheinend durch Verdünnung etwas ab.

Nach dem heutigen Stande der Kolloidforschung erklärt sich diese Erscheinung aus der kinetischen Theorie, indem einem suspendierten Teilchen dieselbe kinetische Energie zukommt wie einem Gasmolekül. Die Gesamtheit der Teilchen übt einen, wenn auch minimalen osmotischen Druck gegen eine für sie undurchlässige Wand aus. Dieser osmotische Druck ist abhängig von der Temperatur und der Zahl der Teilchen in der Volumeneinheit.

Auch die „Globuloide" (Kautschukkügelchen) im Latex führen ähnliche typische Brown-Zsigmondysche Bewegungen aus. Nach V. Henri besitzt etwa die Hälfte der Globuloide im Hevea-Latex größere Kugelgestalt, fast 2 μ im Durchmesser, die anderen sind kleiner, meist bis $^1/_2$ μ im Durchmesser. Besonders starke Bewegung zeigen die kleineren Globuloide, welche mit größter Schnelligkeit ihre Stellen wechseln und durch das mikroskopische Gesichtsfeld eilen. Diese Brownschen Bewegungen vermindern sich auch nicht, wenn der Milchsaft völlig unbeweglich in einer feuchten Kammer mikroskopisch beobachtet wird. Selbst wenn der Latex acht Tage lang in einer feuchten Kammer des Thomasschen Apparates zum Zählen der Blutkügelchen aufbewahrt wird, welche Vorrichtung mit einem $^1/_{20}$-mm-Zählgitter ausgestattet ist, um bequem die Amplitude der Brownschen Bewegungen zu messen, beobachtete Henri keine Abnahme dieser Bewegungen. Nur einige größere Globuloide hatten sich gegen das obere Deckelglas der feuchten Kammer angesetzt.

Unter dem Mikroskope zeigt sich die überraschende Tatsache, daß die Globuloide von Funtumia elastica viel kleiner sind als jene von Hevea brasiliensis. Der Durchmesser der Globuloide aus Hevea ist etwa 0,5—2,5 μ. Die Kautschukkügelchen aus Funtumia elastica können kaum deutlich wahrgenommen werden, nur sehr wenige haben einen Durchmesser von 0,1 μ. Die Globuloide aus dem Funtumia-Latex zeigen eine aktivere Brownsche Molekularbewegung als die von Hevea.

E. Fickendey gibt die Größe der Globuloide für die verschiedenen Kautschukmilchsäfte wie folgt an:

Castilloa elastica	2—3 μ
Ficus elastica	2—3 μ
Sapium spec.	Größe wechselnd von 0,5—4 μ, die meisten 2—3 μ
Hevea brasiliensis und Kickxia elastica	0,5—1 μ, einzelne auch bis 2 μ
	0,5—1 μ, einzelne auch unter 0,5 μ.

VI. Die Struktur des Kautschukmoleküls im Lichte der Kolloidchemie.

C. Harries: Über Kohlenwasserstoffe der Butadienreihe und über einige aus
ihnen darstellbare künstliche Kautschukarten. Annalen d. Chemie **383**, H. 2
u. 3, S. 157—228. 1911.

R. Ditmar: Die Synthese des Kautschuks. S. 3—17. Verlag Theoder Steinkopff,
Dresden.

L. Kondakow (Dorpat): Über synthetischen Kautschuk. Revue générale de
chimie 1912. Referat von K. Gottlob, Gummiztg. 26. Jahrg., Nr. 39, S. 1546
bis 1548; Nr. 40, S. 1582—1584; Nr. 41, S. 1628—1631. 1912.

C. B. Lebedew: India Rubber Journal, 16. Mai 1911 und Journ. d. russ. phys.-
chem. Gesellschaft **42**, 999. 1910.

S. S. Pickles: India Rubber Journal S. 374—375. 1910.

F. E. Barrow: Synthetischer Kautschuk. The Amour Engineer, May 1911 und
Gummiztg. **25**, 1643—1646 und 1688—1690. 1911.

I. Ostromysslenski: Über die Struktur des polymerisierten Vinylbromids und
des Kautschuks. Journ. d. russ. phys.-chem. Gesellschaft **44**, 204—239.

— Die Regeneration des Kautschuks aus seinem Bromid. Journ. d. russ. phys.-
chem. Gesellschaft **44**, 240—244.

Den physikalischen Chemiker, also den Kolloidchemiker, berühren
die verschiedenen theoretischen Spekulationen über die Struktur des
Kautschukkolloids ganz sonderbar. In die Strukturformel des monomolekularen Kautschukkohlenwasserstoffes als Achterring oder als
offene Kette kann man sich gut hineindenken. Die Art des Zusammen-
trittes des monomolekularen Gebildes zum großen kolloiden Moleku-
larkomplex hingegen, wie sich ihn die verschiedenen organischen Chemiker strukturell vorstellen wollen, muß den physikalischen Chemiker stark befremden.

C. Harries glaubt dem Kautschuk nach seinem Abbau über das
Ozonit zur Lävulinsäure die Formel eines 1,5-Dimethylcyclooktadiens
geben zu müssen und nimmt an, daß durch Polymerisation dieser Verbindung unter gegenseitiger Absättigung der Partialvalenzen nach
J. Thiele der Kautschuk zustande kommt:

Neuerdings hält C. Harries die Acht-Ringformel allein für den Kautschuk nicht mehr aufrecht. Wenn die Zahl der Ringe im Molekülkom-

plex nicht richtig bekannt ist, dann will C. Harries folgende Formeln anwenden, die ausdrücken sollen, daß im Kautschukmolekül ein Kohlenstoffring enthalten ist:

$$CH—CH_2—CH_2—C(CH_3)$$

$$(CH_3)\,C — CH_2—CH_2—CH$$

In diesen bedeuten die punktierten Linien eine Anzahl dazwischengeschobener Gruppen:

$$= CH—CH_2—CH_2—CH =$$
$$= (CH_3)\,C—CH_2—CH_2—CH =$$
$$= (CH_3)\,C—CH_2—CH_2—C(CH_3) =$$

Ob außerdem noch eine Polymerisation dieser Ringe stattfindet oder nicht, das läßt C. Harries dahingestellt.

S. S. Pickles hält die Anschauung von dem Vorhandensein eines Achtringes im Kautschukmolekül für nicht genügend gestützt; er wirft Harries vor, daß er seine Theorien nur auf die Ergebnisse seiner Ozonisierungsversuche stützt, statt daß alle anderen bekannten Daten über Kautschuk von ihm mit in Betracht gezogen würden. Seiner Ansicht nach ist im Kautschuk eine ganze Reihe von offenen Ketten von der Form

$$CH_2—C = CH—CH_2—CH_2—C = CH—CH_2—CH_2—C = CH—CH_2$$
$$\qquad\; CH_3 \qquad\qquad\qquad CH_3 \qquad\qquad\qquad CH_3$$

vorhanden, die sich endlich alle ringförmig zusammenschließen. Diese Hypothese ist nach L. Kondakow nicht stichhaltig, vielmehr schließt sich dieser den Ansichten F. E. Barrows an. Barrow verwirft aus einer ganzen Reihe von Gründen alle bisher erwähnten Strukturformeln und stellt eine neue auf — besonders gestützt auf die Ansichten Wechslers über die räumliche Lagerung der Moleküle in Verbindung mit konjugierter Doppelbildung. Wechsler bespricht die Reaktionen von Körpern, welche in ihrem Molekül die Gruppe —C = C—C = C— enthalten. Wechsler schlägt vor, man möge die Kohlenstoffatome bezüglich ihrer gegenseitigen Stellung im Raume näher bezeichnen, so wie I zeigt; falls die doppelten Bindungen sich gegenseitig anziehen, kommen wir zu II; bei dieser Auffassung sind die endstehenden Atome mehr angreifbar wie die mittelstehenden.

Von der von Wechsler vorgeschlagenen Formel II ist nur ein kleiner Schritt zu III. E. Barrow wendet diesen Vorschlag für die von

S. Pickles vorgeschlagene lange Kette an und will die Kohlenstoffatome mehr nach ihrer relativen Stellung im Raume schreiben. Dann kann man nicht mehr einen einzigen Ring von mindestens 40 Kohlenstoffatomen erwarten, sondern man würde auf einen Ring schließen, bei dem sich ungefähr jedes sechste Kohlenstoffatom selbst zurückhalten würde. Falls sich die doppelten Bindungen, welche regelmäßig beim vierten und achten Kohlenstoffatom wiederkehren, gegenseitig anziehen und fähig sind, sich gegenseitig zu sättigen, so darf man nach Barrow erwarten, daß sich dieselben zu einem Molekül vereinigen, welches eine einer Schnecke oder Spiralfeder ähnliche Gestalt hat; die anstoßenden doppelten Bindungen sind so vereinigt und gegenseitig gesättigt. Nachfolgendes Schema gibt ein solches Molekül in A und zwei solche vereinigte doppelte Bindungen in B.

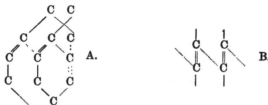

Ein solches spiral- oder schneckenförmiges Molekül würde in engen Beziehungen zum Cyclooktadienring stehen. Die abwechselnden doppelten Bindungen befinden sich praktisch in denselben Stellungen, gleichgültig, ob man eine Spirale A oder eine Reihe von Cyclooktadienringen B annimmt. Die nachfolgenden Figuren zeigen, wie der Zusammenschluß der Kerne gedacht ist:

Durch die Annahme eines derartigen Gebildes kann Wechsler seiner Ansicht nach das Verhalten des Kautschukmoleküls gegenüber Brom, Ozon, Schwefel und bei pyrogener Zersetzung ungezwungen erklären.

Fig. 4.

I. Ostromysslenski behauptet auf Grund seiner Arbeiten über das polymerisierte Vinylbromid $(CH_2 = CHBr)_n$, für welches er den Namen „Kauprenbromid" vorschlägt, das Molekül des Kautschuks enthalte einen Zwölfring. L. Kondakow und K. Gottlob halten es für grundlos anzunehmen, daß sich Isoprenkautschuk aus drei Molekülen des monomolekularen Kohlenwasserstoffs zusammensetze.

Alle diese strukturchemischen Abfassungen sind einem Kolloidchemiker unbegreiflich. Die Frage, ob das monomolekulare Gebilde des Kautschuks einen Oktadienring oder eine offene Kette vorstellt, ist jedenfalls noch nicht endgültig bewiesen und entschieden. Der Zusammentritt dieser monomolekularen Gebilde zum Kautschukkolloid muß aber jedenfalls wie bei allen Kolloiden ein rein physikalischer sein und bloß aus einer gegenseitigen Anziehung ohne feste chemische

Bindung bestehen. Dafür spricht auch die Unstabilität des Kautschukkolloids und der deutlich nachzuweisende Übergang von dem dispergierten Zustand in einem aggregierten und umgekehrt bei der zerschie-
denen Bearbeitung und Behandlung des Kautschuks.

VII. Das Leimigwerden von Kautschuk.

D. S p e n c e: Über einige einleitende Versuche zur Klärung der Ursache des Leimigwerdens von Rohgummi. Kolloidztg. 4, H. 2 u. 3, S. 70—76. 1909.
K. B i n g: Über freiwillige Veränderungen von vulkanisiertem Kautschuk. Kolloidztg. 4, H. 5, S. 232—235. 1909.
— Das Leimigwerden des Rohgummis. Kolloidztg. 5, H. 5, S. 260—261. 1909.
F. F r a n k und Ed. M a r c k w a l d: Das Leimigwerden des Rohgummis. Einige
   einleitende Versuche zur Klärung der Ursache dieser Erscheinung. Kolloidztg.
   5, H. 4, S. 189—191; 1909 und Gummiztg. 25, 39—40. 1910.
E. F i c k e n d e y: Die Verhütung des Klebrigwerdens von Rohkautschuk. Kol-
   loidztg. 9, H. 2, S. 81—83. 1911.
F. A h r e n s: Ein Beitrag zur Kenntnis der kolloiden Natur des Kautschuks.
   Chem.-Ztg. Jahrg. 36, Nr. 54, S. 505—506. 1912.

Eine häufige Erscheinung, welche man sowohl beim Rohgummi wie
auch beim vulkanisierten Kautschuk beobachtet, ist das „Leimigwerden". Über das Leimigwerden von Kautschuk ist viel geschrieben
worden. Trotzdem sind wir noch ziemlich weit von der Erbringung des
vollen Beweises für die wirkliche Ursache dieser unerwünschten Veränderung des Kautschuks entfernt. Nach den Experimentalunter-
suchungen von G. B e r t r a n d ist es undenkbar, daß Bakterien eine direkte
Einwirkung auf Kautschuk selbst haben können, dennoch aber ist es
möglich, daß sie eine gewisse leichte indirekte Einwirkung haben könnten,
indem sie Bedingungen schaffen, welche das Leimigwerden begünstigen.
Auch Enzyme scheinen direkt nichts mit dem Leimigwerden des Kautschuks zu tun zu haben, obwohl natürlich hier wiederum die Möglichkeit einer indirekten Einwirkung auf Grund der Gegenwart der Enzyme
im Rohgummi in Betracht gezogen werden muß. D. S p e n c e ist der
Anschauung, daß das Leimigwerden auf einer in verschiedener Weise
durch äußerliche Einwirkungen beeinflußten Änderung entweder des
physikalischen oder des chemischen Aggregatzustandes des Kautschuks
beruht. Der schädigende Einfluß in bezug auf den sog. „Nerv" des
Kautschuks scheint von kleinen Mengen verdünnter Schwefelsäure auf
den Latex herzurühren. Gewisse Sorten Maranhoa- und Mattogrosso-
gummi werden bekanntlich mit Schwefelsäure koaguliert. S p e n c e
konnte beim leimigen Gummi keine merkbare Gewichtszunahme infolge
Oxydation feststellen, auch eine Vergrößerung des Harzgehaltes bzw.
des Gehaltes an acetonlöslichen Substanzen kann nicht der Grund des
Leimigwerdens sein. Die Viscosität eines leimigen Musters ist halb so
groß wie die des Normalen. Beim Ausscheiden des Kautschuks aus einer
leimigen Kautschuklösung scheidet sich dieser erst nach und nach aus
der Lösung ab, die einzelnen Klümpchen vereinigen sich nicht und die
Lösung bleibt wolkig getrübt. S p e n c e nimmt an, daß der leimig-

pastige Zustand die niedrigste Stufe auf der physikalischen Aggregat-, zustandsskala ist, auf welche jeder Kautschuk gebracht werden kann.

K. Bing hatte in seinem Besitze eine Reihe hartgewordene vulkanisierte Kautschukproben verschiedener Herkunft. Es waren 1. verarbeitete Weichgummiteile, z. B. Billardbanden, rote wie weiße Automobilreifen, Fahrradreifen, Schläuche usw., 2. Kautschukregenerate, die nach den verschiedensten Methoden hergestellt waren, z. B. durch Lösungsverfahren, durch Behandlung mit Alkali, durch Behandlung mit Seifenlösung, durch Behandlung mit neutralen Salzen, durch Behandlung mit Wasser usw. Alle diese Proben zeigten dasselbe Bild des hartgewordenen Kautschuks, nur daß bei einigen die Verhärtung der Oberfläche tiefer in das Innere eingedrungen war als bei anderen. Auch hatten einige (namentlich aschenarme) eine glänzende, leimartige Oberfläche, während die Oberfläche bei anderen, und zwar besonders bei den aschenreichen, rauh und rissig war. Das Alter der verschiedenen Proben war meist nicht feststellbar. Bei diesen Proben beobachtete K. Bing folgendes: Alle hatten sie — mehr oder weniger ausgesprochen — einen eigentümlichen terpentin- oder firnisartigen Geruch. Ein wässeriger Auszug der Proben reagierte sauer und gab Reaktion auf Schwefelsäure. Die Säurereaktion eines ,,leimig'' oder ,,hartgewordenen'' vulkanisierten Kautschukstückes sieht man sofort, wenn man die Oberfläche mit einem nassen Lackmuspapierstreifchen berührt.

Nach dieser Beobachtung erschien es K. Bing wahrscheinlich, daß die Ursache des Hartwerdens von vulkanisiertem Kautschuk mit der Entstehung von freier Schwefelsäure in Verbindung stehe.

Wurden die Proben bis zum Aufhören der sauren Reaktion mit Wasser ausgekocht und dann in offenen Porzellanschalen an der Luft stehen gelassen, so war nach einigen Tagen wieder saure Reaktion infolge der Bildung von Schwefelsäure zu beobachten. Diese Behandlung wurde mehrmals mit demselben Erfolge wiederholt. Bei den aschenreichen Proben, namentlich bei Gegenwart von Kreide, war die Wirkung weniger intensiv als bei den aschenarmen, wahrscheinlich weil die entstandene Säure durch die Kreide oder andere säureaufnehmende Substanzen neutralisiert wird. Die intensive Säurebildung fand K. Bing bei aschenarmen Regeneraten, die Spuren von Kupfersalzen oder Bleisalzen enthielten.

F. Frank und Ed. Marckwald halten den stark dispergierten Anteil, welcher sich im Rohkautschuk befindet, nach dem Waschen und Trocknen des Rohmaterials, besonders bei längerer Lagerung für geeignet, das gesamte Material vollkommen zu verderben. Wird derartiger Kautschuk schnell verarbeitet, so lassen sich die schädigenden Erscheinungen lange Zeit hinausschieben, nicht aber verhindern. Schutzmittel gegen das Klebrigwerden des Rohkautschuks sind nach den beiden Autoren folgende: 1. Anwendung von Verfahren zur Gewinnung des Kautschuks aus der Milch, bei welchen die Koagulationsmittel aufs innigste mit den kautschukbildenden Substanzen in Berührung kommen. 2. Anwendung geringer Milchmengen bei Verfahren, bei welchen Klumpenbildung eintritt. 3. Verhinderung der Einwirkung von Licht und Wärme auf den bereits koagulierten Kautschuk. 4. Möglichste Schonung des Rohkautschuks bei mechanischer Bearbeitung an den Gewinnungsstellen. 5. Verpackung in Kisten und nicht in warme Lagerung im Schiffsraum. 6. Ein gewisser Rückhalt von Feuchtigkeit im Rohkautschuk.

K. Bing hält es für das beachtenswerteste Ergebnis seiner Versuche, das freiwillige Veränderungen von vulkanisiertem Kautschuk mit der Bildung von Schwefelsäure verknüpft sind und daß die Menge der gebildeten Schwefelsäure dem Umfange der Veränderung entspricht. Er sieht darin einen Beweis dafür, daß bei den freiwilligen Veränderungen von vulkanisiertem Kautschuk Oxydationsvorgänge wenigstens sekundär eine Rolle spielen müssen.

E. Fickendey hält die Gegenwart von Sauerstoff für eine der wesentlichsten Bedingungen für das Klebrigwerden des Rohkautschuks. Für eine Oxydation spricht schon die Tatsache, daß das Klebrigwerden stets von der Oberfläche nach dem Inneren zu fortschreitet und niemals von einem Punkte im Innern des Kautschukstücks seinen Ausgang nimmt, wie man es bei einer einfachen Zustandsänderung erwarten sollte. Direkt bewiesen wird die Oxydation durch folgende Versuche: Glasröhren wurden mit Kautschukstücken beschickt, mit verschiedenen Gasen gefüllt und dann geschlossen der Sonne ausgesetzt. Nach Wochen noch war der Kautschuk in der Wasserstoff-, in der Stickstoff- und in der Kohlensäureröhre unverändert. Der Kautschuk in der Luftröhre dagegen war leimig geworden, schneller und stärker noch der in der Sauerstoffröhre. Brach man die Sauerstoffröhre unter Wasser auf, so wurde das Wasser eingesogen, ein Teil des Sauerstoffes war also verschwunden und dementsprechend hatte der Kautschuk eine Gewichtszunahme erfahren. Das zurückgebliebene Gas erwies sich bei der Analyse als reiner Sauerstoff, Kohlensäure hatte sich bei der Oxydation nicht gebildet.

Kautschuk unter Wasser, d. h. bei Sauerstoffabschluß, bewahrt die Eigenschaft der Elastizität auch in der Sonne. Legt man dagegen Kautschukstücke in Wasserstoffsuperoxyd, so wird er, der Sonne ausgesetzt, in wenigen Tagen an der Oberfläche klebrig. Auch in diesem Falle wird der Oxydationsprozeß durch Sonnenlicht stark beschleunigt, denn im Dunklen und im diffusen Tageslicht hält sich der Kautschuk unter Wasserstoffsuperoxyd wochenlang, ohne merkbar schmierig zu werden.

Bestreicht man Stücke von gesundem Kautschuk mit leimigem und setzt sie dann unter Ausschluß von Sauerstoff (Wasser, fremde Gase) der Sonne aus, so schreitet der Prozeß des Klebrigwerdens nicht fort. Ebenso kommt dieser Prozeß bei klebrig gewordenen Stücken auch im Sonnenlichte zum Stillstande, sobald man den Sauerstoff ausschließt.

Die Versuche lassen wohl den Schluß zu, daß das Klebrigwerden eine Folge der Sauerstoffaufnahme ist.

Die Tatsache, daß das Klebrigwerden eine Folge der Oxydation ist, legt den Gedanken nahe, dem Kautschuk einen Stoff beizufügen, der sich leichter oxydieren läßt, als der Kautschuk selbst. Diese Bedingung erfüllt in hohem Maße das Tannin. In der Tat gewährt eine Beimischung von 2—5% Tannin zur Milch einen weitgehenden Schutz gegen das Klebrigwerden. Legt man derartig aufbereiteten Kautschuk in die Sonne, so ist er nach Tagen noch unversehrt, während Unbehandelter längst klebrig geworden ist.

F. Ahrens teilt keine von diesen Auffassungen, sondern meint, es erfolge an der Oberfläche des Kautschuks Sauerstoffaufnahme. Die noch sauerstofffreien Partien nehmen den Sauerstoff von oxydierten Teilen auf, reduzieren diese und verflüssigen sich selbst. Der Autor nimmt an, daß 2% Sauerstoff ein notwendiger Bestandteil des Kautschukkolloids sind, welche sich nicht aus dem Kautschuk entfernen lassen. Ähnlich den Ölkügelchen in der Ölemulsion suchen sich auch die mikroskopischen Kautschukkügelchen in dem Latex gegen Zerstörung zu schützen und zwar dadurch, daß sie begierig Sauerstoff aus der Luft aufnehmen und vielleicht mit diesem und Bestandteilen des Serums eine sauerstoffhaltige Schutzhülle bilden. Wird die Bildung der Schutzhülle durch Zusatz von (beispielsweise) Schwefelsäure verhindert, so erhält man nach der Koagulierung einen sehr minderwertigen und sehr klebrigen Kautschuk, wie das ja bei vielen afrikanischen Sorten der Fall ist. Wird im fertig koagulierten Kolloid die Schutzhülle durch mechanische oder chemische Mittel zerstört, so kann die Bildung einer neuen Hülle nicht stattfinden, weil eben die Bildungsfaktoren, die Bestandteile des Serums, nicht mehr vorhanden sind. Verletzt man ein koaguliertes Kautschukkügelchen, z. B. durch einen Einschnitt, so wird das Innere des Kügelchens bloßgelegt und nimmt nun aus der Luft begierig Sauerstoff auf, doch wird in diesem Falle keine neue Schutzhülle gebildet, weil das Serum fehlt, sondern die Oberfläche verflüssigt sich. Diese Verflüssigung schreitet natürlich nur bis zur allgemeinen Zerstörung fort (Autokatalyse). Den Beweis für seine Theorie erbringt Ahrens damit, daß er einen Parakautschuk in zwei gleiche Teile teilt, die eine Hälfte stark auf den Walzen mastiziert, während er die andere Hälfte in keiner Weise mechanisch bearbeitet. Hierauf löst er beide Hälften in der gleichen Menge Benzol. Nach einigen Monaten ist die geknetete Probe dünnflüssig, während die ungeknetete Probe stabil geblieben ist. Letztere enthält eben noch unverletzte Schutzhüllen. Nach Ahrens ist die Netzstruktur im Kautschuk nichts anderes als die unzähligen Schutzhüllen je eines Molekularkomplexes.

VIII. Viscositätsbestimmungen am Kautschuk.

S. Axelrod: Über Löslichkeit verschiedener Kautschuksorten in Benzin. Gummiztg. **19**, 1053—1056.
— Über Löslichkeit verschiedener Kautschuksorten in Benzol. Gummiztg. **20**, 105.
— Über die Viscosität von Kautschukquellungen. Gummiztg. **23**, 810—811.
P. Schidrowitz und H. A. Goldsbrough: Die Viscosität von Gummi und Gummilösungen mit besonderer Berücksichtigung der Beziehung zu der Stärke oder dem „Nerv" von Rohgummi. Kolloidztg. **4**, H. 5, S. 226—232. 1909.

P. Schidrowitz und H. A. Goldsbrough: Die Viscosität von Kautschuk und Kautschuklösungen. Gummiztg. **23**, 703 bis 704.

H. W. Woudstra: Über die Viscosität und die Koagulation von Kautschuklösungen. Kolloidzeitschr. **5**, H. 1, S. 31. 1909.

F. Ahrens: Beitrag zur Kenntnis der Kautschuklösungen. Chem.-Ztg. **34**, 266 bis 267. 1910.

F. Frank: Vorschläge zur einheitlichen Ausführung vergleichender Vorarbeiten zur Kautschuk-Wertbestimmung für International Rubber Testing Committee Gummiztg. 25. Jahrg., Nr. 27, S. 990—992. 1911.

— Vorschläge zur einheitlichen Ausführung vergleichender Vorarbeiten zur Kautschuk-Wertbestimmung für International Rubber Testing Committee. Gummiztg. **25**, 1277—1280. 1911.

P. Breuil: Wertbestimmung des Kautschuks. Le Caoutchouc et la Guttapercha No. **86**, 5011. 1911.

P. H. Gurney: Eine Bestimmung der absoluten Viscosität. Le Caoutchouc et la Guttapercha S. 5978ff. 1912.

Die innere Reibung oder Viscosität einer Flüssigkeit hängt von dem Drucke und der Reibung ab, welche sie beim Durchfließen eines engen Rohres erfährt. Die Reibung ist gegeben durch die Länge und den Radius des Rohres und durch die Natur der Flüssigkeit. Im allgemeinen gibt der Viscositätsgrad wertvolle Aufschlüsse über Zustandsänderungen von kolloiden Lösungen. Bei Kautschuklösungen darf man sich nicht zu enger Capillaren bedienen, da derartige Lösungen meistens sehr viscös sind.

S. Axelrod benützte folgendes Viscosimeter zur Bestimmung der Viscosität des Kautschuks, welches von der Firma Dr. Robert Muencke, Berlin, gebaut wird.

Es besteht aus einem Schütteltrichter *a* von etwa 500 ccm Inhalt, welcher mit einer Marke bis etwa 200 ccm und einem Ausflußrohr *r* versehen ist; *b* ist ein Ablaßhahn mit einer Nase *c*, welche die Stellung des Hahnes reguliert. Der Trichter ist mittels eines eingeschliffenen Verschlusses in einen graduierten Zylinder eingepaßt; der Verschluß ist mit einem Luftkanal versehen. *Z* ist ein graduierter Zylinder von 250 ccm Inhalt, der außerdem noch einen gut eingeschliffenen Glasstöpsel besitzt. Die Handhabung dieses Viscosimeters ist folgende: Der Trichter wird mit der zu prüfenden Lösung bis zur Marke beschickt, der Hahn ganz aufgedreht und auf einem Sekundenchronometer die Zeit in Sekunden abgelesen, während welcher 100 ccm der Lösung abfließen; als Anfang der Ablesung nimmt man den Zeitpunkt an, in welchem der erste Tropfen am Boden des Zylinders anlangt. Nachdem die Zeit abgelesen ist, läßt man die übrige Lösung aus dem Trichter in den Zylinder ablaufen. Der Zylinder wird mit dem dazugehörigen Glasstöpsel verschlossen und mit der Lösung gewogen. Die Verdünnung der Lösung bis zu einer gewünschten anderen Konzentration ist jetzt einfach durch Zusatz einer berechneten Menge Benzin möglich, vorausgesetzt, daß das Gewicht des leeren Zylinders ein für allemal bestimmt ist. Die

Fig. 5.

Reinigung der Gefäße, die vor jeder neuen Bestimmung erfolgen muß, geschieht durch Fällung der in den Gefäßen noch zurückgebliebenen Lösung mit Alkohol. Durch ein Stückchen Rohkautschuk, welches in das Gefäß mittels Draht hineingebracht wird, läßt sich das gefällte Häutchen glatt entfernen.

Meistens wird die relative innere Reibung bestimmt, indem man die Viscosität der Kautschuklösung auf die Viscosität des betreffenden Lösungsmittels bei gleicher Versuchstemperatur bezieht. Hat man vorher z. B. die Durchflußzeit für Benzin bestimmt, so erhält man den relativen Viscositätsgrad aus dem Verhältnis der Durchflußzeit der Kautschukbenzinlösung zur Durchflußzeit des Benzins allein. Die Viscositätsbestimmungen im Kautschuk werden meistens bei Zimmertemperatur durchgeführt.

Nach den Versuchen von S. Axelrod besitzen die Lösungen entharzter Kautschuke eine niedrigere Konsistenz als diejenigen der harzhaltigen. Je mehr sich die Konzentration einer Kautschuklösung derjenigen einer Paralösung bei demselben Viscositätsgrad nähert, desto vorteilhafter ist nach Ansicht Axelrods die Verwendung dieser Sorte zur Herstellung von Lösungen. Die in Benzin nicht löslichen Bestandteile und Harze scheinen keinen wesentlichen Einfluß auf die Viscosität der Lösung auszuüben. S. Axelrod bestimmte die Viscositäten verschiedener Kautschuksorten in Benzin- und Benzollösungen und konnte feststellen, daß das Lösungsmittel gleichgültig ist zur Wiedergabe bestimmter Eigenschaften des Rohkautschuks. Die Benzollösungen zeigen durchweg höhere Konsistenzen bei demselben Kautschukgehalt als die Lösungen in Benzin, was den Befund von R. Ditmar bestätigt.

Die Viscosität von Gummi und Gummilösungen mit besonderer Berücksichtigung der Beziehung zu der Stärke oder dem Nerv von Rohgummi untersuchten P. Schidrowitz und H. A. Goldsbrough. Es kam ihnen besonders darauf an, eine Methode auszuarbeiten, die es gestattet, den Gummi„nerv" entweder ganz oder zum Teil durch Viscositätsmessungen zu bestimmen. Sie unterscheiden zwischen „mechanischem Nerv" und „chemischem Nerv". Unter „mechanischem Nerv" verstehen sie die Festigkeit des Kautschuks, welche durch die Struktur gegeben ist, unter dem „chemischen Nerv" den Dispersitätsgrad der Kautschuksorte. Zu den Viscositätsmessungen wurden 5 Proben Kautschuk von Funtumia elastica, 3 Proben Plantagenkautschuk (von Hevea brasiliensis) und eine Probe „Fine hard Para" (Hevea B. aus Brasilien) benutzt. Aus den Proben wurden 1—1,5 proz. Lösungen in reinem Benzol hergestellt, diese Lösungen auf einen Kautschukgehalt von 0,25, 0,5 und 1% verdünnt und die Viscosität dieser Lösungen mit einem Ostwaldschen Zweikugelviscosimeter bei 20° bestimmt.

Von den Proben gaben die von kultivierter Hevea im Vergleich mit der brasilianischen Hevea und den Funtumiaproben auffallend niedrige Zahlen. Stellt man die Resultate graphisch dar (Viscosität, bezogen auf Benzol = 1, in der Koordinate; Konzentration in der Abszisse), so zeigt sich, daß oberhalb einer gewissen Viscosität, dem kritischen Punkt,

die Kurven gerade Linien bilden. Die Viscosität ist demnach oberhalb
dieses „kritischen Punktes" direkt proportional der Konzentration der
Lösung. Die Viscosität zweier Kautschuksorten kann nicht durch die
Bestimmung der Viscosität ihrer Lösungen bei bestimmter Konzentration ermittelt werden, läßt sich aber annähernd aus zwei Punkten
oberhalb des kritischen berechnen.

Weitere Versuche von S. Axelrod bestätigten die Tatsache, daß
zwischen der Viscosität der Lösung einer Kautschuksorte und den mechanischen Eigenschaften, sowie der Vulkanisationsfähigkeit ein innerer
Zusammenhang besteht. Da die Eigenschaften von Kolloiden in hohem
Maße von ihrer Vorgeschichte abhängig sind, bestimmte H. Woudstra
die Viscosität von Kautschuksorten verschiedener Herkunft, Alters
und Bereitungsweise im gleichen Lösungsmittel zu gleichstarken Lösungen. Die innere Reibung der Kautschuklösungen nimmt mit der
Zeit allmählich ab. Dies ergibt sich aus den mit bestimmten Intervallen

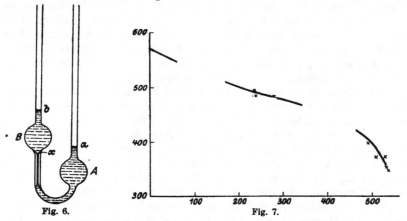

Fig. 6.   Fig. 7.

gemessenen Ausflußzeiten mittels des Ostwaldschen Viscosimeters
im durchsichtigen Thermostaten.

In einem Beitrag zur Kenntnis der Kautschuklösungen zeigt
F. Ahrens, daß eine Gummilösung ihre physikalische Güte verliert,
wenn der Gummi zuerst auf der Walze bearbeitet wurde, wodurch seine
Struktur verloren geht und die Nervigkeit abnimmt. Die Konsistenz und
das Adhäsionsvermögen sind bei einer 10 proz. Strukturkautschuk-
lösung die gleichen wie bei einer 18 proz. Lösung, deren Kautschuk
zwischen heißen Walzen längere Zeit heiß geknetet wurde.

Zur einheitlichen Ausführung für die Kautschukwertbestimmungen
machte F. Fiank einige Vorschläge und meint, daß folgende Prüfungen
an den Rohkautschuken durchzuführen seien: 1. Vergleichende Viscositätsbestimmungen von Kautschuklösungen in einheitlich festgelegten
Apparaten nach einheitlich festgelegten Methoden in bestimmten Zeitintervallen. 2. Vergleich der erhaltenen Viscositätswerte mit den chemischen physikalischen Untersuchungsergebnissen aus den gleichartig

vorbehandelten und gleichartig aufbereiteten, vulkanisierten Rohkautschuken.

S. Axelrod und P. Schidrowitz haben unabhängig voneinander
gefunden, daß eine Beurteilung der Rohkautschuksorten auf ihren Wert
durch vergleichende Bestimmungen ihrer Visco-
sitäten in Lösungen möglich sei. Sie fanden nämlich, daß kernige gute Kautschuksorten zähflüs-
sigere Lösungen geben als weiche geringwertige
Sorten. Auf Grund dieser Feststellungen arbeitete
F. Frank ein eigenes Kautschukviscosimeter aus,
welches patentiert ist und von Paul Altmann
in Berlin vertrieben wird.

Die Gebrauchsanweisung für dieses Viscosimeter ist folgende: 1. Kautschuklösung.
Gewaschener und trockener Rohkautschuk
wird zur Lösung angewendet. Das Lösungsmittel ist Handelsxylol vom spezifischen Gewicht 0,869 bei 15° C. Die
Lösung bzw. Quellung wird hergestellt
durch Aufquellenlassen von 3 Gewichtsteilen Kautschuk in 100 Gewichtsteilen
Xylol. Die Quellung bzw. Lösung wird
ohne Klärung verwendet. Dargestellt wird
die Lösung am besten in einer dunklen
Flasche dadurch, daß man zunächst die
abgewogene Kautschukmenge mit etwa
dem zehnfachen Gewicht Xylol übergießt
und nun unter schwacher Bewegung 24
Stunden stehen läßt. Hiernach ist eine
gleichmäßige Quellung meist erreicht, und
man kann nun auf das Gesamtgewicht auf-
füllen. 2. Das Viscosimeter. Das ältere
System mit Hahn und Glasausflußrohr
von S. Axelrod ist neuerdings ersetzt
durch ein solches ohne Glashahn, bei
welchem die Ausflußöffnung durch einen
eingeschliffenen Aluminiumstab, welcher
in zwei oberen Führungen getragen und
gehalten wird, verschlossen ist. Der Glasballon für die Lösung, deren Viscosität
bestimmt werden soll, trägt 3 Marken,
welche eine vollkommene Niveaueinstel-
lung ermöglichen. 3. Arbeitsausführung.

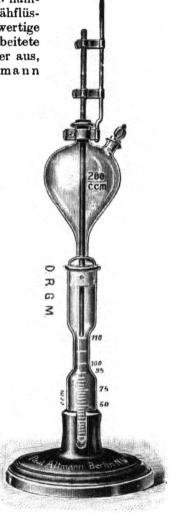

Fig. 8.

In den Glasballon werden bei geschlossener Ausflußöffnung die Lösungen
eingefüllt bis genau zur Marke 200. Als Meßtemperatur wird stets
20° C angewendet. Dann wird der Verschlußstab durch eine schnelle,
stets gleiche Bewegung bis zum Anschlag gehoben und im Momente des

Anschlagens die Sekundenuhr in Bewegung gesetzt. Sobald die Flüssigkeit bis zur Marke 100 geflossen ist, wird die Sekundenuhr festgestellt und die verbrauchten Sekunden werden abgelesen. 4. Vergleichsbezeichnung für die Viscositäten. Da eine Einheit bisher nicht festgestellt worden ist, wird zunächst nur die Zeit in Sekunden angegeben, welche erforderlich ist, um 100 ccm bei der vorher angegebenen Arbeitsausführung ausfließen zu lassen.

Gegen die Frankschen Vorschläge wendet sich der bekannte Forscher P. Breuil, indem er von der Verwendung von bestimmten Apparaten abrät.

P. H. Gurney beschreibt eine Methode zur Bestimmung der absoluten Viscosität. Sein Apparat besteht:

1. Aus einem weithalsigen Rundkolben D, welcher durch die Öffnung A mit einer Vakuumpumpe und durch einen Kautschukschlauch

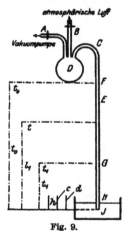

Fig. 9.

C mit der senkrechten Capillare E verbunden ist. Die Röhre B verbindet den Rundkolben D mit der atmosphärischen Luft.

2. aus einem Gefäß mit senkrechten Wänden J, worin sich die zu bestimmende Flüssigkeit befindet.

Die Capillare E ist an drei Stellen graduiert mit den Buchstaben F, G und H.

Falls die Viscosität bei höherer oder niedrigerer Temperatur als die des Zimmers zu bestimmen ist, so erhält die Kapillare E einen Kühlermantel, wodurch die gewünschte Temperatur reguliert werden kann.

Die Handhabung geschieht folgendermaßen: In das Gefäß J, worin die Capillare E endet, wird so viel Flüssigkeit eingegossen, bis dieselbe die Graduierung H in der Capillare erreicht hat. Die Öffnung A ist jetzt geöffnet und B geschlossen, bis die Flüssigkeit in der Capillare die Graduierung F erreicht hat; sodann wird die Öffnung A geschlossen und B geöffnet, um den atmosphärischen Druck in der Capillare zu ermöglichen. Die Flüssigkeit in der Capillare fällt allmählich bei verminderter Geschwindigkeit, und die Zeit, welche von der Flüssigkeit gebraucht wird, den Weg $F\,G$ zurückzulegen, wird durch eine Stoppuhr gemessen. Die Distanzen von F, G und H zur Spitze und Ende der Capillare werden sorgfältig gemessen, das spezifische Gewicht der zu prüfenden Flüssigkeit bestimmt, ebenso der Halbmesser der Capillarröhre. Falls die Viscositätsbestimmung bei einer anderen Temperatur als die des Zimmers vorgenommen wird, so wird die Flüssigkeit in die Capillare eingesaugt und die Luft nicht eher hineingelassen, bis die Flüssigkeit die Temperatur des umhüllenden Regulators erreicht hat.

Bezeichnen wir mit l die Entfernung von dem Niveau der Flüssigkeit in der Capillare zum Ende desselben in der Zeit t,

l_0, die Entfernung von F zum Ende der Capillare, sei das Niveau in der Zeit t_0,

l_1, die Entfernung von G zum Ende der Capillare, sei das Niveau in der Zeit t_1,

r der Halbmesser der Capillare,

R der Halbmesser des Gefäßes J,

q Schnitt der Capillare,

Q Fläche der Flüssigkeit im Gefäß J,

$$\mu = \frac{p}{Q},$$

h die Entfernung zwischen der ursprünglichen Fläche der Flüssigkeit in dem Gefäß und dem Ende der Capillare,

c die Konstante der Capillare,

d die veränderliche Ungleichmäßigkeit der Fläche der Flüssigkeit im Gefäß J in der Zeit t, ausgehend vom ursprünglichen Niveau,

γ das spezifische Gewicht der Flüssigkeit,

μ die Viscosität der Flüssigkeit,

g die Beschleunigung der Schwerkraft,

P der Druck, welcher bestrebt ist, die Geschwindigkeit der Flüssigkeitssäule zu ändern,

a der durch den Luftwiderstand in der Capillare entstandene Druck,

v die Geschwindigkeit des Niveaus in der Capillare.

Alle Quantitäten werden in dem System CGS ausgedrückt.

In der Zeit, wo der Druck P auf l, um die Geschwindigkeit zu ändern, einwirkt, wird a, die Capillare-Flüssigkeitssäule, durch folgende Gleichung gegeben:

$$P = \frac{8\,\mu\,l}{r^2}\frac{dl_1}{dt} + \frac{0,005\,\gamma\,l\,v^2}{r} + \frac{\gamma\,v}{t} + c\,\gamma\,g + h\,\gamma\,g - (l+d)\,\gamma\,g + \alpha.$$

Die Mengen $\dfrac{8\,\mu\,l}{r^2}\dfrac{dl}{dt}$ und $l\,\gamma\,g$ sind die einzigen in Betracht zu ziehenden.

Wir erhalten:
$$-\frac{8\,p\,l}{r^2}\frac{dl}{dt} = l\,\gamma\,g$$

und daraus
$$v = -\frac{dl}{dt} = -\frac{r^2\,\gamma\,g}{8\,\mu}.$$

Da $\dfrac{r^2\,\gamma\,g}{8\,\mu}$ aus konstanten Mengen besteht, so wird v unter diesen Umständen ebenfalls konstant sein. Die Geschwindigkeitsänderung der Flüssigkeit in der Capillare ist klein, und weil $P = \mu\,l\,\dfrac{dv}{dt}$ ist, kann der Wert von P vollkommen vernachlässigt werden.

Es ist also
$$Q\,d = q\,(l - h - c),$$
$$d = \mu\,(l - h - c),$$

daraus folgt
$$\mu = \frac{q}{\varphi} = \frac{\pi r^2}{\pi R^2} = \left(\frac{r}{R}\right)^2$$
und

$$\gamma g (l - h - c)(1 + \beta) - \frac{\gamma v^2}{2} - \frac{0{,}005\,\gamma\,l\,v^2}{r} - a = - \frac{8\,\mu\,l\,dl}{r^2\,dt}.$$

Die Mengen β und $\left(\frac{\gamma v^2}{2} + \frac{0{,}005\,\gamma\,l\,v^2}{2} + a\right)$ sind klein, und wenn $\left[h + c + \frac{v^2}{2g} - \frac{0{,}005\,\gamma\,l\,v^2}{g\,r} + \frac{a}{\gamma\,g}\right]$ durch z ersetzt wird, so bekommen wir die einfache Gleichung:

$$\frac{\gamma g r^2 (1 + \beta)\,dt}{8\,\mu} = - \frac{l\,dl}{l - z}.$$

Integriert man zwischen den Grenzen von t_0 und t_1 und l_0 und l_1, so haben wir

$$\frac{\gamma g r^2 (1 + \beta)(t_1 - t_0)}{8\,\mu} = l_0 - l_1 + z\,l\,n\,\frac{l_0 - z}{l_1 - z};$$

setzt man

$$- t_1 - t_0 = T \quad \text{und} \quad l_0 - l_1 = L,$$

so hat man

$$\left(\mu = \frac{\gamma g r^2 T (1 + \beta)}{8(L + z l_n)\frac{l_0 - z}{l_1 - z}}\right)$$

und

$$z = h + c + \frac{0{,}005\,l_m\,v_m^2}{g\,r} + \frac{v_m^2}{2g} + \frac{a}{g\,\gamma},$$

worin
$$v_m = \frac{L}{T} \quad \text{und} \quad l_m = \tfrac{1}{2}(l_0 + l_1) \quad \text{ist.}$$

Mit allen gegebenen Mengen muß der Wert von μ als eine Linearfunktion von z an Stelle einer komplexen logarithmischen Funktion ausgedrückt werden; $h + c$ ist der bedeutendste Teil von z, aber für eine genaue Arbeit werden auch andere Werte berücksichtigt.

Setzt man $\frac{a}{g\,\gamma}$, die Konstante des Luftwiderstandes in der Capillarröhre, wobei unter γ_a die Luftdichte, μ_a die Viscosität der Luft und l_a die Länge der Luftsäule in der Capillarröhre zu verstehen ist, so hat man

$$a = \frac{8\,\mu_a\,l_a\,v_m}{r^2} + \frac{0{,}005\,\gamma_a\,l_a\,v_m^2}{r} + \frac{\gamma_a\,v_m^2}{2} + \frac{0{,}5\,\gamma_a\,v_m^2}{2}.$$

In dieser Gleichung sind die letzten 3 Glieder im Vergleich zur ersten Gleichung klein, und μ_a muß als Funktion der absoluten Temperatur Θ durch die einfache Beziehung ausgedrückt werden.

$\mu_a = \Theta_e$, worin c konstant und gleich $6,2 \cdot 10^7$ ist,

$$\frac{a}{g\,\gamma} = \frac{8c\,\Theta\,l_a\,v_m}{g\,\gamma\,r^2}.$$

Die Capillare muß senkrecht sein. Trotzdem würde sie sich um einen Winkel α verschieben, dessen gemessener Wert eine vielfache Fraktion von μ wäre, und zwar $0,00015\,\alpha^2$.

Ein Zahlenbeispiel:

Eine Capillare von 1 m Länge hat folgende Dimensionen

$$r = 0,03475 \text{ cm} \quad l_0 = 78,45 \text{ cm} \quad l_a = 50,09 \text{ cm}$$
$$r^2 = 0,001207 \text{ cm}^2 \quad l_1 = 21,37 \text{ cm} \quad l_m = 49,91 \text{ cm}$$
$$L = 57,08 \text{ cm}.$$

Also ist $R = 4,4$ cm, der Wert von μ ist

$$\mu = \frac{g\,r^2(1+\beta)\,\gamma\,T}{8\left(L + z\,ln\dfrac{l_0-z}{l_1-z}\right)} \;;$$

in diesem ist

$$\beta = \left(\frac{r}{R}\right)^2 = \left(\frac{0,03475}{4,4}\right)^2 = 0,0000624.$$

Der Wert von μ kann vernachlässigt werden. γ und T werden für verschiedene Flüssigkeiten verschiedene Werte annehmen, so daß man den Koeffizienten γT durch eine Linearfunktion von z ersetzen kann. Die unter Δ angegebenen Zahlen sind die Differenzen, welche von den Koeffizienten für die Einheit z in Abzug zu bringen sind.

So ist

$$z\,\frac{g\,r^2}{8\left(L + z\,ln\dfrac{l_0-z}{l_1-z}\right)}\quad\Delta$$

z		Δ
0	0,002593	0,000060
1	0,002533	0,000059
2	0,002474	0,000060
3	0,002414	0,000061
4	0,002353	0,000061
5	0,002292	

$$\frac{g\,r^2}{8\left(L + ln\,z\dfrac{l_0-z}{l_1-z}\right)} = 0,002593 - 0,000060\,z$$

$$= 0,002593\,(1 - 0,00231\,z)$$

und mit

$$z = h + c + \frac{8c\,\Theta\,l_a\,v_m}{g\,\gamma\,r^2} + \frac{v_m^2}{2g}\left(1 + \frac{0,005\,l_1 + l_0}{r}\right).$$

Bei ˙20° C ist $\Theta = 293{,}7$

$$z = h + c + 0{,}062\,\frac{\overset{\bullet}{v_m}}{\gamma} + 0{,}008\,v^2.$$

Wenn v_m klein ist, so kann man es vernachlässigen, und wenn $h + c = 2$ cm gemacht wird, so folgt

$$\mu = 0{,}00247\,\gamma\,T.$$

IX. Über die Adsorption und Diffusion von Gasen durch Kautschuk.

Payen: Compt. rend. de l'Acad. des Sc. 72, 148.
Graham: Annalen d. Chemie u. Pharmazie, Suppl. 5, 1; Phil. Trans. 1866, S. 399; Poggend. Annalen 79, 548.
Aronstein und Sirks: Zeitschr. f. Chemie 1866, S. 280.
Leo Grunmach: Physikal. Zeitschr. 6, 795—800; 1905 und Gummiztg. 20. Jahrg., Nr. 29, S. 711.
— Versuche über die Diffusion von Kohlensäure durch Kautschuk. Physikal. Zeitschr. 23. 1905.
A. Reychler: Über die sogenannte Diffusion gewisser Gase durch eine Kautschukmembran. Auszug aus der durch die königliche Gesellschaft für Medizin und Naturwissenschaften herausgegebenen Zeitschrift. Brüssel, 15. Juli 1893, Nr. 28.
— Über die Absorption von Schwefligsäureanhydrid durch Kautschuk und durch Wolle. Journ. de Chim. et de Phys. 8, 3. 1910.
— Über Adsorption von Schwefligsäureanhydrid durch Kautschuk und Blutkohle. Chem.-Ztg. 1910, S. 1061.
— Die Adsorption von Kohlendioxyd und Schwefeldioxyd durch Kautschuk und Blutkohle. Journ. de Chim. et de Phys. 8, 618. 1910.
Zulkowsky: Denkschrift. Berichte d. Deutsch. chem. Gesellschaft 1872.
Rudolf Ditmar: The Absorption of Gases by Rubber Tubing. India Rubber Journal 1907.
V. Henri: Der Durchgang von Gasen durch Kautschuk. Le Caoutchouc et la Guttapercha 7, 4351. 1910.
G. Austerweil: Über den Durchgang des Wasserstoffs durch das Kautschukgewebe der Luftballons. Compt. rend. de l'Acad. des Sc. 154, 196—198.
F. Steinitzer: Das Verhalten von Kautschuk zu Kohlensäure. Gummiztg. 26. Jahrg., Nr. 41, S. 1626—1628. 1912.

Die Adsorptionserscheinungen gehören zu den am längsten bekannten Erscheinungen, welche man an Kolloiden beobachtet hat. Trotzdem wurden sie an dem typischesten Kolloid, dem Kautschuk, verhältnismäßig spät entdeckt, obwohl sie eine sehr bedeutende Rolle bei der Analyse des Kautschuks und bei der Herstellung von Ballonstoffen spielen. Die systematische und wissenschaftliche Entwicklung der Luftschiffahrt gab erst so recht Veranlassung dazu, Adsorption und Diffusion von Gasen durch Kautschuk eingehend zu studieren. Es ist nicht ausgeschlossen, daß die Ursache der zahlreichen Katastrophen der Zeppelinballons auf die Adsorption und Diffusion des Wasserstoffes durch die Ballonhüllen zurückzuführen ist. Naturgemäß ist die Adsorption disperser Phasen an festen Oberflächen um so intensiver, je größer die absolute Oberfläche, wahrscheinlich aber auch je höher der Wert der spezifischen Oberfläche des festen Adsorbens ist. Es ist eine allgemein bekannte Erscheinung, daß Gase von festen Körpern, welche bei der Versuchstemperatur keine chemische Verwandtschaft zu den betreffenden Gasen besitzen, oft in beträchtlicher Menge verdichtet werden. R. Zsigmondy unterscheidet zwischen Absorption und Adsorption. Nach ihm wäre unter Adsorption die Verdichtung von Gasen an der Oberfläche eines Körpers, unter Absorption das Eindringen der Gase in das Innere eines Körpers zu verstehen. Mithin wäre die Reihenfolge, in welcher diese Prozesse beim Kautschukkolloid verlaufen, folgende:

1. Adsorption,
2. Absorption,
3. Diffusion.

Die Diffusion ist nur als eine Fortsetzung der Absorption zu betrachten. Wesentliche Unterschiede bei diesen Vorgängen weisen massive Körper und dünne Lamellen auf.

A. Reychler beobachtete als einer der ersten am unvulkanisierten Kautschukblättchen, daß schweflige Säure von Kautschuk adsorbiert wird. Alle seine Vorgänger sprechen nur von Diffusion von Gasen durch Kautschuk, ohne dabei die Adsorption zu berücksichtigen. R. Ditmar erkannte später durch Versuche an einem wohldefinierten Schlauche (aus reinem Para mit 6% Schwefel vulkanisiert), daß die Gase vom Kautschuk zuerst adsorbiert wurden, und daß erst nach stattgehabter Adsorption Diffusion eintritt. Dabei ergaben sich wesentliche Unterschiede bei den verschiedenen Gasen.

Unter einer bestimmten Versuchsanordnung fand V. Henri, daß durch einen Quadratmeter Ballonstoff nach der vollständigen Absorption bei 30 mm Druck in 24 Stunden bei 18—20° etwa 10 Liter Wasserstoff und nur 1 Liter atmosphärische Luft diffundieren. Temperatur, Licht, Feuchtigkeit, Verunreinigung des Wasserstoffgases ist von großer Bedeutung für die Gasdurchlässigkeit der Ballonstoffe. Bei Abwesenheit von Verunreinigungen der Gase bleibt Erniedrigung der Temperatur auf weniger als 15° ohne Einfluß auf die Diffusion. Bei der geringsten Menge von Schwefelwasserstoff in Wasserstoff steigt die Durchlässigkeit für Wasserstoff schon nach wenigen Stunden von 10 Liter auf 50 bis 60 Liter pro Quadratmeter in 24 Stunden.

A. Reychler beschreibt einen für die Absorption geeigneten von C. Gerhardt in Bonn gelieferten Apparat. Das Verhältnis C (Konzentration des absorbierten SO_2 bei 18° in Molen pro kg) zu c (Konzentration des SO_2-Gases in Molen pro 1 kg) nimmt bei Kautschuk einen ziemlich konstanten Wert (um 26 herum) an, so daß man die Absorption als eine Lösungserscheinung betrachten kann.

A. Reychler studierte auch die Adsorption von Kohlensäure und von Schwefligsäuregas durch Kautschuk und Blutkohle. Die Adsorption von Kohlensäure erfolgt bei 20° rasch, aber nicht reichlich. Die annähernde Konstanz von

$$(1,04 - 1,08)\ \frac{C}{c}$$

deutet darauf hin, daß es sich um eine einfache Lösungserscheinung handelt. Kautschuk löst SO_2 nach der Formel

$$C = k \cdot c \left(\frac{C}{c} = 25,6 - 26\right).$$

Der Annahme Wo. Ostwalds, daß es sich nach der Formel $C = k \cdot c$
1,02 um eine Adsorptionserscheinung handle, kann sich Reychler nicht
anschließen.

Versuche über die Diffusionsgeschwindigkeit an Kautschuk wurden
von L. Grunmach angestellt, um Aufschluß zu gewinnen über ein
patentiertes Verfahren, die Luft von Kohlensäure ohne Ventilation
nur durch Diffusion zu befreien. Es handelte sich also darum, festzustellen, wieviel Kohlensäure pro Quadratzentimeter durch Kautschukplatten bestimmter Dicke unter verschiedenem Druck in bestimmten
Zeitabschnitten durchdiffundierte. Zur Untersuchung wurden mehrere
gleichgroße halbkugelförmige Gefäße benutzt, die auf der ebenen Seite
sorgfältig mit der betreffenden Kautschukplatte verschlossen wurden.
Zwei seitlich angebrachte Hähne ermöglichten die Füllung mit Kohlensäure sowie die Messung der auftretenden Druckänderung durch an-
geschlossene Manometer. Die Druckänderung wurde genauer durch
ein Wiegeverfahren bestimmt, indem an zwei Gefäßen, das eine mit
Luft, das andere mit Kohlensäure gefüllt, der Gewichtsverlust des
letzteren durch die hinausdiffundierte Kohlensäure ermittelt wurde.
Das Luftgefäß diente dabei als Tara. Bei der Berechnung wurden die
meteorologischen Verhältnisse (Luftdruck u. a.) berücksichtigt. Die
auftretende Druckänderung bewirkte eine entsprechende konkave Wöl-
bung der anfänglich planen Gummiplatte; durch die Dehnung wurde
die Oberfläche vergrößert, die Dicke der Platte verringert, wonach die
Berechnung entsprechend modifiziert werden mußte. Die benutzten
Kautschukplatten waren nicht aus reinem Paragummi hergestellt, sondern es waren vulkanisierte käufliche braune und graue Platten von
0,15 und 2,4 mm Dicke. Die für die Diffusionsgeschwindigkeit erhaltenen Werte weichen erheblich, sogar in der Größenordnung, von früher
durch Kayser und v. Wroblewski ermittelten ab, wobei allerdings zu
berücksichtigen ist, daß die verwendeten Gummisorten ganz verschieden sein dürften und daß die genannten Autoren an ganz dünnen Membranen, die sie durch Dehnung dickerer Platten erhielten, ihre Versuche
anstellten. Aus den mitgeteilten Werten Grunmachs ergibt sich, daß
die Diffusionsgeschwindigkeit dem Drucke (Partialdruck!) nicht proportional variiert und mit der Dicke gleichfalls nicht umgekehrt proportional ist. Die Diffusionsgeschwindigkeit hängt außerordentlich
von der relativen Größe der verwendeten Drucke ab und wird weniger
durch die verwendete Sorte Kautschuk beeinflußt.

Auch G. Austerweil teilt die Ansicht, daß die Durchlässigkeit
des Kautschuks für Wasserstoff, vorausgesetzt daß ersterer nicht durch

Verharzung usw. porös geworden ist, darauf zurückzuführen ist, daß Kautschuk Wasserstoff absorbiert und denselben alsdann passieren läßt. Wenn also ein gefüllter Ballon viel Gas verliert, so kann man seine ursprüngliche Undurchlässigkeit dadurch wieder herstellen, daß man ihn entleert so lange an der Luft liegen läßt, bis er seinen absorbierten Wasserstoff verloren hat.

F. Steinitzer bestimmte die Absorptionsfähigkeit in der Weise, daß verschiedene Gummisorten in einem geeigneten Rezipienten während einer Dauer von 192 Stunden = 8 Tagen einer Atmosphäre reiner, trockener Kohlensäure von 1,5 kg/qcm Überdruck ausgesetzt wurden. Aus untenstehender Tabelle ersieht man, daß Kautschuk mehr als sein eigenes Volumen Kohlensäure bei diesem Druck aufnehmen kann, und zwar um so mehr, je weniger er beschwert ist, bzw. je mehr Kautschuksubstanz er enthält.

Gummisorte	Gewicht der Probe vor dem Versuch g	nach dem Versuch g	Gewichtszunahme	Wandstärke der Probe vor dem Versuch mm	nach d. Versuch mm	Absorbierte Kohlensäure Menge in ccm	100 g Kautschukprobe nehmen auf	Bemerkungen: Nach dem Versuch:
Bester roter Paragummi	9,664	9,689	0,025	—	—	12,2	131,42	Stark klebend
Grauer stark Luftschlauch } beschwert	4,4944	4,4986	0,042	1,84	1,92	21,2	47,17	—
Roter Laufmantel	17,120	17,163	0,043	1,98	2,00	21,7	126,75	klebend
Laufmantel I. Qualität	28,619	28,673	0,054	1,96	2,008	27,3	95,39	wenig klebend
Grauer Luftschlauch, I. Qualität	28,538	28,591	0,053	2,00	2,04	26,3	92,15	klebend
Grauer Schlauch, stark beschwert	44,633	44,655	0,022	1,92	2,00	11,1	24,87	—
Schwarzer Schlauch, I. Qualität	17,664	17,690	0,032	0,96	1,02	16,1	91,14	klebend

Sehr bemerkenswert ist die Eigenschaft einiger reiner Proben, durch Kohlensäure klebend zu werden. Zwei derartig behandelte Stücke Nr. 1 und 2 hafteten aufeinander, wenn sie zusammengedrückt wurden. Die Temperatur während der Versuche betrug etwa 20°.

Die Kohlensäure scheint auch einen Einfluß auf die Festigkeit des Kautschuks zu haben, indem F. Steinitzer bei längerer Einwirkung derselben eine Abnahme der Festigkeit des Kautschukkolloids nachweisen konnte.

F. Steinitzer bestimmte die Diffusionszeit und Menge der Kohlensäure in folgendem Apparate. Eine starkwandige Flasche mit weitem Halse wurde mit einer Armatur versehen (auf der Zeichnung weggelassen), um den zweimal durchbohrten Stöpsel mittels Druckplatte und Schrauben fest eindrücken zu können. Um eine Einwirkung von Kohlensäure auf den Gummistopfen zu verhindern, wurde er auf der unteren Fläche lackiert. Durch den Stopfen ging ein Rohr a, das an einem Dunlopventil b angelötet war, bis fast an den Boden, durch die andere Bohrung ein Rohr c, welches eine mit Flanschen und Schrauben versehene Doppelglocke trug. Zwischen den Flanschen konnte die zu prüfende Gummiplatte *d* fest und dicht eingespannt werden. Um ein Durchdrücken zu verhindern, wurde über ihr ein Messingdrahtnetz *e* angebracht. Das

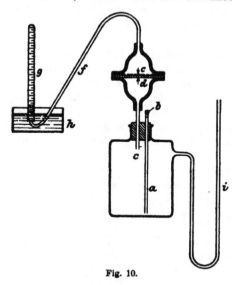

Fig. 10.

Rohr der oberen Glocke war mit einem gebogenen Rohr versehen, das in ein Meßrohr mit Quecksilberabschluß und Füllung reichte, *g* bzw. *h*. Ein seitlicher Ansatz der Flasche war mit dem Manometer *i* verbunden. Zu den Versuchen wurden zunächst bei abgenommenem Rohr *h* die Flanschen mit der dazwischen befindlichen Gummiplatte nun aufeinander gelegt und durch *b* getrocknete Kohlensäure aus einer Bombe gedrückt, bis alle Luft aus dem Apparat verdrängt war. Nun wurden die Flanschen fest verschraubt und weiter Gas eingedrückt, bis das Manometer 1 kg/qcm Druck zeigte. Die durch die Kautschukplatte entweichen-

de Kohlensäure wurde durch *h* nach *g* geleitet und darin gemessen. Während des Versuches wurde die Temperatur bei etwa 15° gehalten.

Die Kohlensäure bedarf zum Durchdringen der Kautschukplatte je nach deren Dicke eine gewisse Zeit; nach dieser findet ein regelmäßiger stetig abnehmender Durchgang statt. Die Versuchsergebnisse sind folgende:

Dauer des Versuches von Beginn der Diffusion an 36 Stunden. Fläche der Versuchsplatten = 22,3 qcm. Temperatur etwa 15°.

Gummisorte	Wand-stärke mm	Gehalt an Mineral-stoffen %	Die Diffusion begann nach	In 36 Std. diffundierte Kohlensäure ccm	1 qcm läßt in 1 Stunde durch ccm
I. Grauer Luftschlauch, geringe Sorte	1,75	58,60	5 Std. 35 Min.	4,90	0,0061]
II. Schwarzer Schlauch, beste Qualität . . .	1,90	18,57	4 „ 17 „	6,99	0,0087
III. Rote Platte, gute Qualität	2,15	37,74	6 „ 20 „	2,07	0,0026
IV. Beste Paragummi-platte	4,17	11,82	10 „ 30 „	1,90	0,0024

Um die Abnahme der Diffusion zu messen, wurde bei Nr. IV der Druck der Kohlensäure 240 Stunden = 10 Tage lang auf 1 kg/qcm erhalten, wobei alle 8 Stunden die diffundierte Gasmenge gemessen wurde. Am 10. Tage ließ die Gummiplatte noch 0,00215 ccm pro 1 qcm in der Stunde durch; die Abnahme ist also nur gering, 1% in 24 Stunden.

Mit steigender Temperatur nimmt die diffundierende Menge beträchtlich zu. Bei diesbezüglichen Versuchen mit einer Gummiplatte von 4,17 mm Dicke wurden bei 1 kg/qcm Druck und einer Versuchsfläche von 22,3 qcm folgende Kohlensäuremengen erhalten:

Temperatur 10° = 1,07 ccm = 0,00200 ccm in 1 Std. pro 1 qcm
     ,,   15° = 1,23 ccm = 0,00229 ccm in 1 Std. pro 1 qcm
     ,,   20° = 1,42 ccm = 0,00226 ccm in 1 Std. pro 1 qcm.

Um die Adsorption und Diffusion von Gasen durch Kautschuk vermeiden zu können, schlug F. Steinitzer vor, die Schlauchfläche mit Glycerinleim zu überziehen.

X. Das Kautschukkolloid als Dialysiermembrane.

H. P. C. G. Debauge: Verfahren zur Reinigung von Kautschuk. D. R. P. Nr. 244 712, Klasse 39b, Gruppe 2.

Zur Dialyse werden bekanntlich die verschiedensten Membranen verwendet, so Schweinsblasen, Ochsenblasen, Fischblasen, Pergamentpapier, Kollodium, Eisessigkollodium usw. C. H. G. Debauge in Paris, D.R.P. Nr. 244 712, Klasse 39b, Gruppe 2, ,,Verfahren zur Reinigung von Kautschuk", machte die interessante Beobachtung, daß, wenn ein Blatt vulkanisierten Kautschuks auf der einen Seite mit einer Lösung von Schwefel in einem Kohlenwasserstoff und auf der anderen Seite mit dem Kohlenwasserstoff allein in Berührung steht, der Schwefel infolge von Osmose durch das Kautschukblatt hindurchgeht; indem man regelmäßig den reinen Kohlenwasserstoff erneuert, kann man es dahin bringen, daß der Lösung der gesamte in ihr enthaltene freie Schwefel entzogen wird. Dasselbe gilt für die Harze. Der gleiche Vorgang findet statt, wenn an Stelle der Schwefel- oder Harzlösung eine diese Bestandteile enthaltende Kautschuklösung der Dialyse unterworfen wird. Man kann auf diese Weise schließlich eine Lösung gewinnen, die entweder nur reinen, oder wenn vulkanisierter Kautschuk in Lösung dialysiert wurde, schließlich solchen Kautschuk enthält, der nur noch den chemisch gebundenen Schwefel besitzt. Die obenerwähnten Membranen aus vulkanisiertem Kautschuk verhalten sich gegenüber den Kohlenwasserstoffen und den darin aufgelösten Körpern wie halbdurchlässige Wände, d. h. sie lassen die nach Art von Krystalloiden gelösten Körper diffundieren und halten die nach Art von Kolloiden gelösten Körper zurück.

Da Kautschuk für die Dialyse der in Kohlenwasserstoffen löslichen Stoffe sehr durchlässig ist, so kann man ihn entweder als Membran anwenden oder seine dialytische Wirkung auch dann nutzbar machen, wenn er die Poren anderer poröser Träger oder Wände ausfüllt.

Die Lösungsmittel, die man für diese Behandlung von Kautschuk anwenden kann, sind insbesondere Benzol, Toluol, Xylol, Petroleum, Schwefelkohlenstoff, Tetrachlorkohlenstoff, Chloroform, Tetrachloräthan, Terpenkohlenwasserstoffe usw.

Verwendet man Blätter aus vulkanisiertem Kautschuk, so quellen diese durch den Einfluß der Kohlenwasserstoffe auf und sind dann leicht der Zerstörung ausgesetzt. G. De bau ge verstärkt sie deshalb, indem er sie zwischen zwei Stücken Kattun oder Drahtgewebe anordnet, die ihnen als Halt dienen. Er leimt die Kautschukmembranen mitsamt den sie haltenden Geweben mittels Gelatine od. dgl. auf Rahmen aus Holz oder anderem Material fest.

Bei der Dialyse durch den Kautschuk absorbiert natürlich dieser als Kolloid teilweise die dialysierenden Substanzen, und nur der Überschuß findet sich im Dialysate vor.

XI. Die Selbstentzündung von Kautschukabfällen.

Wenn in den Weichgummiwarenfabriken die warmen Abfälle von der Mischwalze auf größere Haufen in den Fabrikhof geworfen werden, so tritt sehr häufig Selbstentzündung der Abfälle ein. An dem dabei auftretenden unangenehmen Geruch nach verbranntem Kautschuk erkennt der Gummiarbeiter sofort, daß im Innern des Abfallhaufens Selbstentzündung begonnen hat. Wenn man dann den Haufen auseinander wirft, so findet man einen Klumpen von zusammengeklebtem Kautschuk, von dem eine starke Wärmeentwicklung ausgeht. Auf diese Erscheinung machte mich zum erstenmal Max Herbst aufmerksam. Es handelt sich hierbei jedenfalls um eine pyrophore Reaktion. Das ganze System, die Mischung, befindet sich nach dem Mischprozesse in einem stark dispergierten erwärmten Zustande. Die Abfälle liegen locker aufeinander, so daß sich der Sauerstoff der Luft zwischen den Teilchen befindet und gleichzeitig durch die warmen Abfälle erwärmt wird ohne abströmen zu können und sich dadurch wieder abzukühlen. Der Sauerstoff der Luft befindet sich also eingeschlossen mit einem stark dispergierten System, in welchem die Phasen Kautschuk und Schwefel sehr leicht oxydierbar sind. Es tritt daher Oxydation, also Selbstentzündung ein. Kühlt man das ganze System dadurch, daß man den Sauerstoff nicht stagnieren, sondern abziehen läßt, indem man die Abfälle auseinander wirft, so unterbleibt die Selbstentzündung. An einem durch Wärme stark dispergierten System findet leichter eine chemische Reaktion, eine Oxydation, statt, als an einem aggregierten. Auch die Schwefelanlagerung, die Vulkanisation, erfolgt ja bekanntlich leichter in der Wärme; je mehr man die Wärme steigert, desto rascher vulkanisiert der Kautschuk. Steigert man die Wärme ganz besonders schnell, beispielsweise bis auf 10 Atmosphären, so kommt es besonders leicht beim Hartgummi vor, daß derselbe ganz porös wird und vollständig verbrennt. Die Selbstentzündung des Kautschuks erinnert an die Selbstentzündung von frisch bereiteter, fein pulverisierter Holzkohle, die auch aus der Luft Sauerstoff adsorbiert. Ebenso entzünden sich Steinkohlen infolge der Adsorption von Sauerstoff, wobei vielleicht auch fein verteilter Schwefelkies eine gewisse Rolle spielt. Ähnliche Erscheinungen wurden zur Genüge an anderen Kolloiden beobachtet. Die Gespinstfasern, die mit Öl und anderen oxydierbaren Stoffen getränkt sind und auf Haufen zusammen liegen, feuchtes Heu, Stroh, Sägespäne, namentlich harzreiche Holzarten unterliegen einem langsamen Oxydationsprozesse. Die Temperatur steigert sich häufig bis zur Selbstentzündung. Stark dispergierte Metalle, wie z. B. Nickel, Kobalt, Eisen usw., sog. Pyrophore erglühen häufig, weil sie dem Sauerstoff eine große Angriffsfläche darbieten. Notwendig für eine Selbstentzündung ist also immer ein stark dispergiertes System. Das Primäre ist die Adsorption von Sauerstoff, das Sekundäre ist die chemische Reaktion, die Selbstentzündung.

XII. Die Vulkanisation.

C. O. Weber: Grundzüge einer Theorie der Kautschukvulkanisation. Zeitschr. f. angew. Chemie 11?, 142. 1894.

R. Henriques: Chem.-Ztg. 1893, S. 634.

Fawsitt: Journ. Soc. Chem. Ind. 8, 368. 1889.

Terry: Journ. Soc. Chem. Ind. 11, 970. 1892.

Thomson: Chem. News 6?, 192. 1890.

G. Hübener: Chem.-Ztg. 33. Jahrg., Nr. 17, S. 144—145; Nr. 18, S. 155—157; Nr. 71, S. 648—649; Nr. 72, S. 662—663. 1909.

H. Erdmann: Über Thiozonide, ein Beitrag zur Kenntnis des Schwefels und seiner ringförmigen Verbindungen. Liebigs Annalen d. Chemie 36?, 134.

Wo. Ostwald: Beiträge zur Kolloidchemie des Kautschuks. I. Zur Theorie der Vulkanisation. Kolloidzeitschr. 6, H. 3, S. 136—155. 1910.

— Beiträge zur Kolloidchemie des Kautschuks. II. Weitere Bemerkungen zur Theorie der Vulkanisation. Kolloidzeitschr. 7, H. 1, S. 45—49. 1910.

F. W. Hinrichsen: Zur Theorie der Vulkanisation des Kautschuks. Kunststoffe 1. Jahrg. 1911.

— Physikalisch-chemische Kautschukstudien. Kolloidzeitschr. 7, H. 2, S. 65—67. 1910.

— Zur Theorie der Vulkanisation des Kautschuks. Kolloidzeitschr. 8, H. 5, S. 245—250. 1911.

— Zur Kenntnis der Kaltvulkanisation. Kolloidzeitschr. 8, H. 5, S. 250—251. 1911.

— und E. Kindscher: Zur Theorie der Kaltvulkanisation des Kautschuks. Kolloidzeitschr. 6, H. 4, S. 202—209. 1910.

— — Versuche über die Entschwefelung von vulkanisiertem Kautschuk. Kolloidzeitschr. 10, H. 3, S. 146—148. 1912 und 11, H. 1, S. 38—39. 1912.

B. Bysow: Zur Theorie der Kaltvulkanisation. Kolloidzeitschr. 6, H. 6, S. 281 bis 283. 1910.

— Zur Theorie der Heißvulkanisation. Kolloidzeitschr. 7, H. 3, S. 160—161. 1910.

— Zur Kenntnis der Kaltvulkanisation. Kolloidzeitschr. 8, H. 1, S. 47—48; H. 4, S. 209. 1911.

D. Spence: Beiträge zur Chemie des Kautschuks. III. Zur Theorie der Vulkanisation. II. Kolloidzeitschr. 9, H. 6, S. 300—306. 1911.

— Beiträge zur Chemie des Kautschuks. IV. Einfluß niedriger Temperaturen auf die Geschwindigkeit der Heißvulkanisation und die Nachvulkanisation. Kolloidzeitschr. 10, H. 6, S. 299—306. 1912.

— und J. H. Scott: Beiträge zur Chemie des Kautschuks. Theorie der Vulkanisation. Kolloidzeitschr. 8, H. 6, S. 304—312. 1911.

P. Alexander: Zur Frage der Entschwefelung von vulkanisiertem Kautschuk. Kolloidzeitschr. 10, H. 5, S. 252—253. 1912.

D. Spence und J. Young: Beiträge zur Chemie des Kautschuks. V. Zur Theorie der Vulkanisation. III. Kolloidzeitschr. 11, H. 1 (Juli 1912), S. 28—34.

Wo. Ostwald: Bemerkungen zu vorstehender Arbeit. Kolloidzeitschr. 11, H. 1 (Juli 1912), S. 34—36.

G. Bernstein: Contribution à l'étude de la vulcanisation à froid du Caoutchouc. Gummizeisung, 26. Jahrg., Nr. 45 (1912), S. 1800.

Mischt man gewaschenen und getrockneten Rohkautschuk innig mit
Schwefel und erhitzt ihn in einem Druckkessel (Charles Goodyear
1839) oder behandelt man denselben mit einer verdünnten Lösung von
Schwefelchlorür (Alexander Parkes 1846), so geht das Kolloid in einen
pektisierten Zustand über; man nennt diesen Vorgang „Vulkanisation".
Die Behandlung mit Schwefel bezeichnet man als „Heißvulkanisation", die mit Schwefelchlorür als „Kaltvulkanisation".

Die Vulkanisation hat den Zweck, dem Rohkautschuk das Adhä-
sivvermögen gegen sich selbst zu nehmen, den Rohkautschuk gegen seine
Solventien sowie gegen die Einwirkung von Alkalien und Säuren be-
ständiger zu machen, dem Rohkautschuk ein größeres Temperatur-
intervall als + 4° C bis 50° C für seine Elastizität einzuräumen und schließlich dem Kautschuk jede Stufe der Elastizität vom Gummifaden bis
zum Ebonit zu geben.

Über das Wesen der Vulkanisation wußte man vor der fundamen-
talen Arbeit „Grundzüge einer Theorie der Kautschukvulkanisation"
von C. O. Weber so gut wie nichts. Nach ihm kommt eine Vulkanisationswirkung nur solchen Agenzien zu, welche imstande sind, pektini-
sierte Kautschukderivate zu liefern, und liegt daher das Wesen der Vulkanisation in einer durch chemische Einwirkung auf den Kautschuk
verursachten Pektinisierung.

C. O. Webers Experimentalarbeit, durch welche er das Wesen der
Vulkanisation aufzuklären versuchte, ist so wichtig, daß ich sie mit den
eigenen Worten Webers anführen möchte:

„Für die Untersuchung des Vorganges der Vulkanisation mit Schwefel
bei höherer Temperatur eignet sich am besten die Methode, dünne Platten, aus einem homogenen Gemenge von Kautschuk und Schwefel ge-
walzt, in Wasser unter Druck geeigneten Temperaturen auszusetzen.

Zu seinen Versuchen benutzte Weber gewalzte Platten von 3 mm
Stärke aus einem Gemenge von 100 Teilen feinstem Parakautschuk
mit 10 Teilen präcipitiertem, völlig säurefreien Schwefel bestehend.
Diese Platten werden in Streifen von 3 cm Breite und 6 cm Länge zerschnitten und in einen mit Wasser gefüllten Porzellanbecher gebracht,
der in einem selbst wieder zum Teil mit Wasser gefüllten Laboratoriums-
autoklaven aus Phosphorbronze eingesetzt wurde. Der Deckel dieses
Autoklaven trug ein Sicherheitsventil, Manometer und Thermometer.
Die Arbeitsweise war wie folgt: Das Wasser in dem offenen Autoklaven
wurde zum Sieden erhitzt, sodann der Porzellanbecher mit siedendem
Wasser gefüllt, eine Anzahl (8—10) der Kautschukstreifen eingelegt,
der Becher in den Autoklaven gesetzt und dessen Deckel nun sofort
aufgedichtet. Sobald die Temperatur die für die Versuchsreihe bestimmte Höhe erreicht hatte, wurde die Zeit abgelesen und nun die Temperatur während eines bestimmten Zeitintervalles konstant erhalten.
Nach Ablauf dieses Intervalles wurde im Laufe von höchstens 1,5 Minuten der Dampf durch Lüften des Sicherheitsventils abgeblasen, der Autoklav geöffnet, einer der Streifen dem Becher entnommen, wenn nötig
siedendes Wasser nachgefüllt, der Autoklav wieder geschlossen und so-

dann das Experiment auf dieselbe Weise fortgesetzt. Diese ganze Operation läßt sich in etwa 2 Minuten bequem ausführen, so daß der bei einer längeren Versuchsreihe entstehende Zeitfehler sehr gering ist.

Die so erhaltenen vulkanisierten Streifen wurden in sehr feine Fäden zerschnitten und sodann sofort ohne zu trocknen mit Aceton erschöpfend extrahiert. Die extrahierten Fäden wurden einige Minuten in einer Kohlensäureatmosphäre getrocknet und sodann deren Gehalt an gebundenem Schwefel nach Carius bestimmt.

Auf diese Weise ergaben sich die folgenden Resultate:

Vulkanisation von Parakautschuk.

Dauer der Vulkanisat.	Vulkanisationstemperatur				
	120° C	125° C	130° C	135° C	140° C
30 Min.	0,71% S	0,71% S	0,99% S	1,76% S	—
60 „	1,18% „	1,32% „	1,44% „	2,17% „	—
90 „	1,31% „	1,67% „	2,04% „	2,36% „	—
120 „	1,62% „	1,91% „	2,32% „	3,92% „	5,07% S
150 „	—	—	—	4,02% „	
180 „	1,78% „	2,11% „	2,94% „	4,18% „	6,05% „
240 „	1,93% „	2,22% „	5,00% „	5,50% „	—
300 „	2,25% „	2,35% „	5,27% „	6,74% „	—
360 „	2,60% „	3,80% „	5,82% „	6,88% „	—
420 „	3,71% „	4,04% „	6,04% „	6,97% „	—
480 „	3,94% „	4,31% „	6,33% „	7,13% „	—

Sehr übersichtlich gestalten sich diese Serien in der beigegebenen graphischen Darstellung.

Sehr auffällig in diesen Kurven ist das Auftreten von „Knicksen" an gewissen Stellen derselben. Der erste derselben erscheint in der 120°-Kurve zwischen dem Zeitintervall von 360 zu 420 Minuten, er tritt in der 125°-Kurve um 60 Minuten, in der 130°-

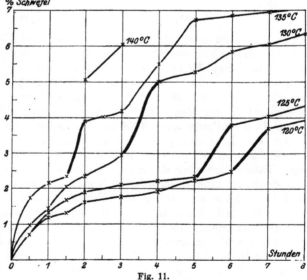

Fig. 11.

Kurve um 180 Minuten und in der 135°-Kurve um 270 Minuten früher auf. Wie die 135°-Kurve besonders deutlich zeigt, besitzt die Vulkanisationskurve des Parakautschuks bei dieser Temperatur zwei solcher

Knickse. Über deren Bedeutung und Ursache fehlt Weber jede Vorstellung. Als er dieselben zuerst beobachtete, hielt er sie einfach für Versuchsfehler, einem unbeachtet gebliebenen zeitweisen Überhitzen entspringend. Sämtliche obigen Versuchsreihen wurden wesentlich aus diesem Grunde dreimal wiederholt, wobei sich zunächst eine ganz vorzügliche Übereinstimmung der Vulkanisationszahlen (Schwefelprozente) der isothermischen Serien ergab, während in jeder Serie wieder dieselben Knickse und zwar stets an genau denselben Stellen auftraten. Es ist dies um so merkwürdiger, als keine der verschiedenen anderen Kautschuksorten, deren Vulkanisationszahlen in gleicher Weise bestimmt wurden, diese Eigentümlichkeit aufweisen.

Jedenfalls lassen obige Zahlenreihen nicht mehr den geringsten Zweifel, daß es sich bei der Vulkanisation des Kautschuks um die Bildung einer aus Kautschuk und Schwefel bestehenden Verbindung, eines Polyprensulfids, handelt und daß mithin der Vulkanisationsvorgang tatsächlich als ein chemischer Prozeß betrachtet werden muß, der in erster Linie durch seinen langsamen zeitlichen Verlauf charakterisiert ist.

Nunmehr entsteht sofort die weitere Frage, ob es sich hier um einen chemischen Additions- oder um einen Substitutionsvorgang handelt, und die Entscheidung hierüber kann leicht auf experimentellem Wege gewonnen werden. Im ersten Falle würde die Reaktion offenbar den Verlauf

$$(C_{10}H_{16})_n + S_2 = (C_{10}H_{16})_n S_2$$

nehmen, im zweiten Falle sich dagegen die Einwirkung im Sinne der Gleichung

$$(C_{10}H_{16})_n + 2 S_2 = (C_{10}H_{12})_n S_2 + 2 H_2 S$$

vollziehen. In diesem letzten Falle wäre also die Vulkanisation des Kautschuks von der Entwicklung sehr bedeutender Mengen von Schwefelwasserstoff begleitet. Es berechnet sich aus obiger Formel, daß bei der Vulkanisation von 1000 kg Kautschuk zu einem 2,5% gebundenen Schwefel enthaltenen Produkt 26,5 kg, d. h. in runder Summe 18 000 Liter Schwefelwasserstoff entstehen würden. Da es eine Anzahl von Fabriken gibt, deren Tagesvulkanisation 1000 kg Kautschuk und mehr beträgt, so müßte die Entstehung des obenerwähnten enormen Volumens von. Schwefelwasserstoff eine der größten Gefahren der Kautschukindustrie sein. Tatsächlich aber ist in den Vulkanisierräumen zumeist gar kein oder doch nur eine außerordentlich geringe Menge von Schwefelwasserstoff bemerkbar und schon der Umstand, daß bei Verarbeitung nur bester Kautschukqualitäten und Erzeugung hochklassiger Waren Schwefelwasserstoff überhaupt nie auftritt, deutet zur Genüge darauf hin, daß die Vulkanisation des Kautschuks selbst nicht von Schwefelwasserstoffentwicklung begleitet ist, und daß das Auftreten der ganz minimalen Mengen dieses Gases lediglich der Einwirkung des Schwefels auf die organischen Verunreinigungen des Kautschuks entstammt. Wird völlig reiner Kautschuk mit Schwefel gemischt und sodann im Laboratorium in einem Glasrohr von passenden Dimensionen in einem langsamen Strom von Kohlensäure vulkanisiert, so tritt keine Spur von

Schwefelwasserstoff auf. Nur eine geringe Menge dampfförmigen Schwefels entweicht mit der Kohlensäure."

C. O. Weber zieht nun folgende Schlüsse:

I. Der Kautschukkohlenwasserstoff verbindet sich mit Schwefel ohne Entwicklung von Schwefelwasserstoff. Der Vorgang der Vulkanisation des Kautschuks ist daher ein Additionsprozeß.

II. Der Vulkanisationsprozeß besteht in der Bildung einer kontinuierlichen Reihe von Additionsprodukten von Schwefel und Kautschuk. Die obere Grenze dieser Reihe wird durch den Körper $C_{100}H_{160}S_{20}$, die untere Grenze sehr wahrscheinlich durch den Körper $C_{100}H_{160}S$ repräsentiert. Physikalisch ist diese Serie charakterisiert durch die Abnahme der Dehnbarkeit und die Zunahme der Festigkeit von den niederen zu den höheren Gliedern der Reihe. Welches Glied dieser Reihe in jedem einzelnen Falle vorwiegend entsteht, mit anderen Worten, welcher Vulkanisationsgrad erzielt wird, hängt von der Temperatur und der Dauer der Vulkanisation, sowie von der angewandten Schwefelmenge ab.

III. Die Vulkanisation, als chemische Reaktion betrachtet, verläuft unabhängig von dem physikalischen Zustand des Kautschukkolloids, aber der letztere ist während der Vulkanisation bestimmend für die physikalischen Konstanten des Vulkanisationsproduktes."

Nicht weniger interessant ist die Theorie der Kaltvulkanisation von C. O. Weber. Wie schon Henriques gefunden hatte, stellte Weber fest, daß das Schwefelchlorür als solches mit dem Kautschukmolekül in Reaktion tritt. Weber ging bei seinen Versuchen in folgender Weise vor:

„Die klare filtrierte Lösung von 50 g reinem Parakautschuk in 1 Liter Benzol wurde mit einer Auflösung von 60 g Schwefelchlorür in 200 ccm Benzol versetzt. Nach einigem Stehen schied sich ein gelblichweißer Niederschlag ab, der durch Seidengaze abgepreßt, mit Benzol ausgewaschen und im Soxhletapparate erschöpfend mit Schwefelkohlenstoff ausgezogen wurde. Die Analyse des Reaktionsproduktes ergab Zahlen, die vorzüglich auf die Formel $C_{10}H_{16}S_2Cl_2$ stimmten. Weber machte infolgedessen die Annahme, daß eine Verbindung von der ebengenannten Zusammensetzung sich gebildet habe, wie auch bereits seit längerer Zeit durch Versuche Guthries bekannt war, daß Schwefelchlorür an ungesättigte organische Verbindungen sich anzulagern vermag. Wesentlich ist hierbei, daß die Annahme einer bestimmten Verbindung zwischen Kautschuk und Schwefelchlorür die Vulkanisation in erster Linie als rein chemischen Vorgang erscheinen ließ. Da die technischen kaltvulkanisierten Kautschukwaren in der Regel viel weniger Schwefel enthalten, als der vorerwähnten Verbindung entspricht, suchte Weber weiter eine Entscheidung darüber herbeizuführen, ob die technischen Waren aus einem Gemisch von unvulkanisiertem Kautschuk und der genannten Schwefelchlorürverbindung bestehen oder ob noch andere Verbindungen des Kautschuks mit Chlorschwefel möglich sind. Aus seinen nach dieser Richtung hin angestellten Versuchen zog Weber den Schluß, daß noch eine andere Verbindung von der Formel $C_{100}H_{160}S_2Cl_2$ möglich sei und sprach weiterhin die Vermutung aus, daß zwischen den

beiden beschriebenen Verbindungen, denen er in Analogie zu gewissen Beobachtungen Guthries die Formeln $(C_{50}H_{80})_2(S_2Cl_2)_{10}$ und $(C_{50}H_{80})_2S_2Cl_2$
zuschreibt, noch acht weitere Verbindungen bestehen müssen, die sich
von einander um je ein Molekül Schwefelchlorür unterscheiden."

Die Forschungen von Henriques und Weber wurden dann später mit
den Forschungsergebnissen von Harries und Hübener durch R. Ditmar
verknüpft und zu einer neuen Vulkanisationstheorie ausgearbeitet.
Die wesentlichsten Punkte als Grundlage zu dieser Theorie waren folgende:

1. Nach der Harriesschen Kautschukstrukturformel sind im Kautschukmolekül 2 Doppelbindungen und eine kettenförmige lose Anord-
nung von Achterringen nachgewiesen.

2. Der Kautschukkohlenwasserstoff verbindet sich mit Schwefel
ohne Entwicklung von Schwefelwasserstoff (Additionsprozeß): $(C_{10}H_{16})_n$
$+ S_x = (C_{10}H_{16})_nS_x$.

3. Der Vulkanisationsprozeß besteht in der Bildung einer kontinuierlichen Reihe von Additionsprodukten von Schwefel und Kautschuk.
Die obere Grenze dieser Reihe wird durch den Körper $(C_{10}H_{16}S_2)_{10}$,
die untere sehr wahrscheinlich durch den Körper $(C_{10}H_{16})_{10}S$ repräsentiert. Physikalisch ist diese Serie charakterisiert durch die Abnahme
der Dehnbarkeit und Zunahme der Festigkeit von den niederen zu den
höheren Gliedern der Reihe. Welches Glied dieser Reihe in jedem einzelnen Falle entsteht (Vulkanisationsgrad), hängt von der Temperatur,
der Dauer der Vulkanisation, der physikalischen Beschaffenheit des
Rohkautschuks und der angewandten Schwefelmenge ab.

4. Bei der Behandlung des Kautschuks mit einem Überschuß von Schwefelchlorür entsteht nach Weber ein Körper von der empirischen Formel
$(C_{10}H_{16}S_2Cl_2)_x$, wobei x wahrscheinlich 10 ist. Die höchste Vulkanisations-
möglichkeit entspricht auch bei der Kaltvulkanisation der Formel
$(C_{10}H_{16}S_2Cl_2)_{10}$, während die niedrigste Stufe durch die Formel $(C_{10}H_{16})_{10}S_2Cl_2$
ausgedrückt ist, bei der kein freier Kautschuk mehr vorhanden ist.

5. Das Nitrosit und Bromid des vulkanisierten Kautschuks enthält
wechselnde Mengen von Schwefel (gebunden), je nach der Menge des
vorhandenen gebundenen Schwefels im Ausgangsprodukt. Durch längeres Liegen und durch Ruhe verändert sich der vulkanisierte Kautschuk
in seinen „physikalischen" Eigenschaften; er wird schon einige Tage
nach der Vulkanisation strammer und zeigt größere Reißfestigkeit.

Nach Thiele und nach Harries dürften Verbindungen existieren,
in welchen der Zusammenhang der Atome nur durch Partialvalenzen
ungesättigter Komplexe aufrechterhalten wird. Solche Verbindungen
müssen sich verhalten wie gesättigte, müssen aber leicht wieder in ungesättigte Moleküle zerfallen. In der unten angeführten Kautschuk-
formel ist diese merkwürdige Bindungsart durch Punkte angedeutet.
In dieser sonderbaren Bindungsform liegt auch der kolloide Charakter
des Kautschuks. Die Schwefeladdition läßt sich in allen ihren Phasen
in der Weise erklären, daß durch den Eintritt des Schwefels an Stelle
der doppelten Bindung ein festerer Zusammenschluß der beiden Reste
des Moleküls erfolgt. (Siehe die Formelbilder.)

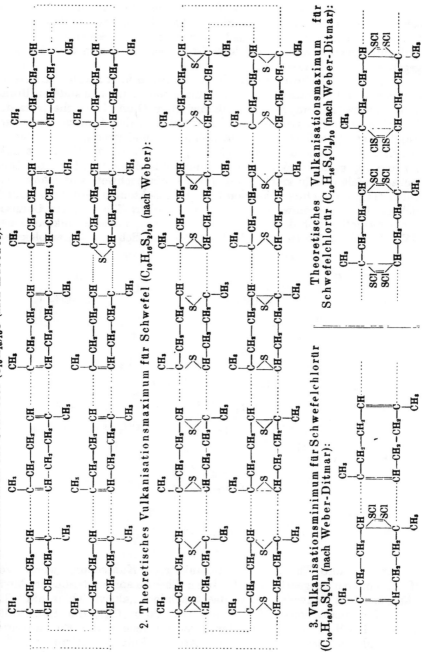

1. **Vulkanisationsminimum für Schwefel (C₁₀H₁₆)₁₀S (nach Hübener):**

2. **Theoretisches Vulkanisationsmaximum für Schwefel (C₁₀H₁₆S₂)₁₀ (nach Weber):**

3. **Vulkanisationsminimum für Schwefelchlorür (C₁₀H₁₆)₁₀S₂Cl₂ (nach Weber-Ditmar):**

Theoretisches Vulkanisationsmaximum für Schwefelchlorür (C₁₀H₁₆S₂Cl₂)₁₀ (nach Weber-Ditmar):

Aus dem gleichzeitigen großen Ringschluß der 10 Dimethylokta-
diene erklärt sich auch die große Beständigkeit des vulkanisierten Kautschuks, welche bei geringerem Schwefelgehalt abnimmt. Während der
Schwefel bei der Heißvulkanisation zweiwertig ist, scheint er bei der
Kaltvulkanisation mit Schwefelchlorür vierwertig zu sein und sich auch
gegenseitig abzubinden.

6. Aus den Hübenerschen Untersuchungen über Kautschukbestimmungen in heißvulkanisierten Weichgummiwaren und aus anderen Brom-
kautschukbestimmungen von vulkanisiertem Gummi (welche trotz des
Harriesschen Nachweises der Ungenauigkeit der Brommethode einwandfrei sind, da Hübener stets Rohgummi und vulkanisierten Gummi
in den Bromverbindungen vergleicht), geht hervor, daß die Kautschuk-
verbindung im heißvulkanisierten Gummi aus einem Gemisch von Zwei-
fachschwefelkautschukmolekülen (I), Einfachschwefelkautschukmole-
külen (II), Kautschukmolekülen (III) und S-Atomen bestehen. Durch
Behandeln mit Bromwasser werden diese übergeführt in ein Gemisch
aus Schwefelkautschukmolekülen (I), Bromschwefelkautschukmolekülen
(IV), Tetrabromkautschukmolekülen (V) und Schwefelsäuremolekülen.

Eine weitere Theorie des vulkanisierten Kautschuks wurde von
H. Erdmann ausgearbeitet. In dieser Theorie spielen besondere Modi-
fikationen des Schwefels, z. B. das besonders „aktive Thiozonid" (S_3)
sowie Polymerisationsprodukte von der Form $(S_8)_3$ die Hauptrolle.
Vielatomige Moleküle erleiden durch verschiedene äußere Einwirkungen
eigentümliche Veränderungen in der Art von Polymerisationen und Depolymerisationen. Erhitzt man Schwefel auf 160°, so tritt eine Trennung

in zwei Flüssigkeitsschichten ein, welche hinsichtlich ihres spezifischen Gewichtes und hinsichtlich ihrer Farbe verschieden sind. Die eine Modifikation hält Erdmann für S_3 und bezeichnet sie als Thiozon. Ähnlich wie Harries durch Einwirkung von Ozon auf organische Verbindungen Ozonide erhält, so trachtet Erdmann durch Reaktion zwischen Schwefel und solchen Verbindungen bei ungefähr 160° Thiozonide und Polythiozonide zu gewinnen. Nach Erdmann soll nun auch der Schwefel mit dem Kautschuk ein Thiozonid bilden, welches den Harriesschen Ozoniden in chemischer Beziehung ähnlich ist.

Ganz vereinzelt finden sich nun in der älteren Literatur Ansätze zu Theorien des Vulkanisationsprozesses, die in einem gewissen Gegensatz zu den angedeuteten „chemischen" Theorien stehen und die man als „mechanische Vulkanisationstheorien" bezeichnen kann. Insbesondere hat J. B. Höhn eine Reihe von Tatsachen angeführt, die ihn zu dem Schlusse führten, „daß die Vulkanisation des Kautschuks einen chemischen Vorgang überhaupt nicht darstellt, sondern daß der Schwefel in geschmolzenem Zustande von den Zellen des Kautschuks lediglich physikalisch aufgenommen wird, und daß diese Legierung, wenn man so sagen darf, nun auch andere physikalische Eigenschaften zeigt". Die wichtigsten Gründe, welche Höhn zu seiner Ansicht führten, sind folgende:

1. Sowohl bei dem kleinsten als auch beim größten Schwefelgehalt einer Kautschukmischung findet sich nach der Vulkanisation immer ein gewisser Prozentsatz sog. freien „ungebundenen" Schwefels, der mit dem Gesamtschwefelgehalt wächst. Läge eine chemische Verbindung vor, so sollte bei kleinen Schwefelgehalten aller Schwefel aufgenommen werden.

2. Behandelt man vulkanisierten Kautschuk mit einem Lösungsmittel, in dem Schwefel und Kautschuk nicht gleichstark löslich sind, z. B. mit Benzin, und läßt die Lösung langsam verdunsten, so findet stets eine Abscheidung des Schwefels in Form von mikroskopischen Krystalldrusen, Körnchen usw. statt, solange sich überhaupt noch Schwefel analytisch in der Mischung nachweisen läßt. Dieser ausgeschiedene grobdisperse Schwefel läßt sich leicht, z. B. durch Alkali, entfernen. Die Auffassung einer „chemischen" Bindung zwischen Kautschuk und Schwefel ermöglicht keinerlei Aufklärung dieser merkwürdigen Erscheinung, welche von dem Gesichtspunkt der „physikalischen" Theorie aus durchaus verständlich erscheint. Noch drastischer wird die größere Angemessenheit letzterer Auffassung dadurch demonstriert, daß auch unvulkanisierte Schwefel-Kautschuk-Mischungen, die genau so wie die zu vulkanisierenden vorbehandelt worden waren, sich ebenso verhielten, mit dem einzigen Unterschied, daß die Vorgänge der Auflösung und Abscheidung hier schneller verliefen.

Außer der Arbeit von J. B. Höhn findet sich in der Literatur noch eine hierhergehörige Äußerung von S. Seeligmann: „Diese Vereinigung ist keine eigentliche Verbindung zu einem wohlcharakterisierten chemischen Individuum, unterscheidet sich aber auch von einer ein-

fachen Lösung oder rein mechanischen Mischung. Beim Erhitzen auf
120° C ändert der Schwefel seinen Aggregatzustand, er schmilzt, und
gleichzeitig haben sich die Poren des Kautschuks genügend erweitert,
um eine allmähliche Aufnahme des flüssigen Vulkanisationsmittels, des
Schwefels, zu gestatten. Doch gleichzeitig verbindet sich der flüssige
Schwefel mit dem Kohlenwasserstoff des Kautschuks und bildet damit
einen neuen chemischen Körper, oder besser gesagt, eine Legierung usw."

Wolfgang Ostwald suchte die Vulkanisationsvorgänge in quali-
tativer und möglichst quantitativer Form von dem physikalisch-
chemischen Gesichtspunkte der Adsorptionslehre darzustellen. Von vornherein sei bemerkt, daß augenscheinlich nur die Erscheinungen der „mechanischen" Adsorption als Erklärungsmittel in
Frage kommen, obwohl elektrische Vorgänge bei Kautschukreaktionen
nicht ausgeschlossen erscheinen. Hervorzuheben ist fernerhin, daß sich
die entwickelte Auffassung keineswegs in Gegensatz z. B. zu der konstitutionschemischen Theorie stellen will. Als qualitative Punkte, welche
die Schwefelaufnahme des Kautschuks als einen Adsorptionsvorgang
charakterisieren, hebt Ostwald folgende hervor:

a) Die Schwefelaufnahme ist ein rein additiver Vorgang (C. O.
Weber). Typische Adsorptionsvorgänge bestehen bekanntlich ebenfalls in einfachen „Anlagerungen" des Adsorbendums an das Adsorbens.
Was die sog. „Kaltvulkanisation" in Lösungen von Chlorschwefel
anbelangt, so geht aus der Literatur keineswegs mit Sicherheit hervor,
ob es sich hier um einen rein additiven Vorgang oder um eine „selektive"
Bindung des Schwefels allein unter Freiwerden des Chlors handelt.
J. B. Höhn gibt an, daß das Vulkanisierbad nach öfterem Gebrauch relativ chlorreicher wird. C. O. Weber bestreitet dies, resp. führt die auch von
ihm beobachteten analogen Veränderungen auf die Wirkung von Beimengungen im Kautschuk zurück. Von allgemeinerem Gesichtspunkte
aus erscheint angesichts der enormen Zersetzlichkeit des Chlorschwefels
in Gegenwart organischer und wasserhaltiger Stoffe eine Zersetzung
des Chlorschwefels auch bei der Vulkanisation nicht unwahrscheinlich.
Auch für den Fall, daß hier tatsächlich eine selektive, von Zersetzung
begleitete Schwefelaufnahme stattfindet, bieten andere Adsorptionserscheinungen reichlich Analogien. So adsorbiert nach J. M. van Bemmelen das Manganhydroxydgel aus Kaliumchlorid, -sulfat, -nitrat usw.,
nur das Kaliumion nicht aber das Säureradikal usw.

b) Der Kautschuk bildet mit Schwefel „eine kontinuierliche Reihe
von Additionsprodukten" (C. O. Weber). Diese Tatsache gehört zweifellos zu denen, die am schwierigsten mit der konstitutionschemischen
Auffassung der Vulkanisationsvorgänge zu vereinigen sind. Denn chemische Reaktionen, die in der gleichzeitigen Bildung einer großen Zahl
verschieden zusammengesetzter Reaktionsprodukte vom selben Typus
bestehen, dazu mit der Eigentümlichkeit, daß trotz verschiedener
Mischung dieser Reaktionsprodukte ihre Brutto- oder summarische
Zusammensetzung sich kontinuierlich ändert, gehören jedenfalls zu den
seltsamsten und z. Z. noch unbekanntesten chemischen Erscheinungen,

Hier ist auch der Punkt, an welchem C. O. Weber vornehmlich von der Kolloidchemie Hilfe erwartet und an dem H. Erdmann den Hilfsbegriff der „halbfesten Lösung" einführt. Hinzu kommt, daß es nicht nur bisher nicht gelungen ist, diese einzelnen Reaktionsprodukte voneinander zu isolieren, sondern daß auch die überzeugtesten Vertreter der konstitutionschemischen Auffassung z. Z. nicht imstande sein werden, auch nur ungefähr die Richtung des experimentellen Wegs anzugeben, der zu diesem Zwecke eingeschlagen werden müßte. Es erscheint auch nicht ausgeschlossen, daß manche derselben die Meinung vertreten, das sei überhaupt nicht möglich. Mit diesem Zugeständnis, daß ihre Theorie mit anderen Worten selbst als unbeweisbar kennzeichnet, verliert die letztere aber sehr wesentlich an wissenschaftlichem Interesse. Auf der anderen Seite ist die Kontinuität der additiven Aufnahme eines Stoffes ein Fundamentalbestandteil des Adsorptionsbegriffes derart, daß die Stetigkeit oder Unstetigkeit der Änderungen der chemischen Zusammensetzung eines Reaktionsproduktes geradezu als Unterscheidungsmerkmal zwischen adsorptiven und chemischen Vorgängen erscheint.

c) Ein weiterer Punkt, der zu wesentlichen Schwierigkeiten für die konstitutionschemische Theorie der Vulkanisation führt, ist die Unbestimmtheit der Zusammensetzung der Endglieder dieser Reihe von Additionsprodukten. Könnte man auch die Unmöglichkeit der Isolierung der Zwischenglieder dieser Reihe mit technischen Schwierigkeiten begründen, so müßte man wenigstens erwarten, ein konstantes Reaktionsprodukt mit einem minimalen und ein solches mit einem maximalen Schwefelgehalt zu bekommen. In der Tat war auch C. O. Weber der Meinung, für das erstere die Zusammensetzung $C_{240}H_{384}S_2$ und für das letztere die Formel $C_{240}H_{384}S_{48}$ gefunden zu haben. Die nicht sehr zahlreichen dieser Auffassung zugrunde liegenden Analysen ergaben für das schwefelreichste Glied 32—33% Schwefel. Die Zusammensetzung des schwefelärmsten Produkts wurde auf folgende Weise ermittelt: „Die Bestimmung des die niedrigste Vulkanisationsstufe repräsentierenden Schwefelquantums ist außerordentlich schwierig, da uns alle Mittel zur Isolierung der verschiedenen Schwefelungsstufen fehlen. Wir können höchstens auf den Umstand, daß die Vulkanisationswirkung erst bei einem Gehalt von 2—2,5% Schwefel klar zutage tritt, die Vermutung begründen, daß ein solcher Schwefelgehalt höchstwahrscheinlich die niedrigste Grenze repräsentiert, was demgemäß einem Körper von der Zusammensetzung $(C_{10}H_{16})_{10}S$ oder $C_{100}H_{160}S$ entsprechen würde. Daß die niedrigste Vulkanisationsgrenze noch unterhalb dieser Zahl liegt, ist nicht unmöglich, aber doch unwahrscheinlich. Der Ausdruck „vollkommen vulkanisiert" ist doch sehr unbestimmt und zahlenmäßig überhaupt nicht präzisierbar. In der Tat zeigen die Analysen von R. Henriques für die Endglieder nicht nur unter sich viel größere Abweichungen als die Analysen Webers, sondern bewegen sich zum Teil in ganz wesentlich anderen Konzentrationsgebieten. In neuester Zeit ist nun von F. W. Hinrichsen und K. Meisenburg durch sorgfältige Versuche diese Frage dahin entschieden worden, daß es speziell bei Anwendung eines

Chlorschwefelüberschusses nicht gelingt, ein maximales Additionsprodukt von konstanter Zusammensetzung zu erhalten. Die gefundenen Zahlen schwanken zwischen 15,58 und 28,37%. Aber auch bei Versuchen über Heißvulkanisation variierte die gebundene Schwefelmenge gleichsinnig mit dem Betrage an zugesetztem Schwefel.

Auch diese konstitutionschemisch unverständliche Tatsache erscheint als notwendige resp. definitionsgemäße Konsequenz, falls man den Vorgang der Schwefelaufnahme als eine Adsorptionserscheinung auffaßt. Es gehört bekanntlich zur Charakteristik der Adsorptionen, daß die Menge adsorbierter Substanz in erster Linie und ausnahmslos mit der Konzentration des Adsorbens variiert, und zwar so, daß bei kleinen Konzentrationen relativ viel, bei größeren relativ wenig adsorbiert wird. Diese Verteilungsart findet sich bei allen typischen Adsorptionsvorgängen, höchstens mit der Einschränkung, daß manchmal praktisch bei minimalen Konzentrationen die Menge des freien Adsorbens gleich Null wird, und daß bei den höchsten Konzentrationen die Zunahmen der adsorbierten Menge assymptotisch gleich Null werden. Der Befund J. B. Höhns, der auch durch die zitierte Arbeit von Henriques gestützt wird, daß stets, auch bei den geringsten Schwefelgehalten noch freier Schwefel nachgewiesen werden kann, zeigt, daß hier die praktische Erscheinung weitgehend der Theorie folgt. Mit anderen Worten: Auch hier sind die größten Schwierigkeiten, die sich einer konstitutionschemischen Deutung entgegenstellen, Eigentümlichkeiten, welche gerade zu den einfachsten und grundsätzlichen Definitionen der adsorptionstheoretischen Betrachtungen gehören.

d) Eine weitere merkwürdige Tatsache, für die z. Z. keine konstitutionschemische Deutung gegeben werden kann, enthält die schon zitierte Angabe von J. B. Höhn, daß bei Verwendung geeigneter Lösungsmittel der Schwefel in grobdisperser Form auch aus vulkanisiertem Kautschuk entfernt werden kann. Es ergibt sich mit anderen Worten, daß der Vulkanisationsvorgang ein teilweise reversibler Vorgang ist. Es erscheint fast überflüssig, darauf hinzuweisen, daß dies Verhalten vollkommen den Konsequenzen entspricht, die man von adsorptionstheoretischen Gesichtspunkten aus ziehen kann. Erwähnt sei noch, daß die Reversibilität des Vorganges nicht einmal zu den notwendigen Bestandteilen des Adsorptionsbegriffes gehört.

e) Dem Praktiker ist wohl bekannt, daß dieselbe Kautschuksorte bei völlig gleicher Vulkanisation (Schwefelgehalt, Temperatur, Vulkanisationsdauer usw.) keineswegs immer dieselben Resultate ergibt. Verantwortlich wird für derartige Abweichungen insbesondere die verschiedene Vorbehandlung beim Zerkleinern, Waschen, Mischen gemacht, deren Einfluß sich schon an den physikalischen Änderungen des unvulkanisierten Kautschukgemisches wahrnehmen läßt. So ist bekannt, daß zu langes und zu intensives Auswalzen den Kautschuk „klebrig" oder „leimig", ganz allgemein „unelastisch" macht, so daß hier eine analoge Möglichkeit des „Totwalzens" vorliegt, wie z. B. bei zu intensivem Holländern des Papierbreies. Anwendung höherer Temperaturen beschleunigt den Vorgang wesentlich. Aber auch die Schwefelaufnahme wird durch eine derartige Vorbehandlung ganz wesentlich beeinflußt, wie S. Axelrod in einer sehr interessanten Arbeit zeigte. Er fand, daß durch längere oder intensivere mechanische Vorbehandlung der Kautschuk bei denselben Vulkanisationsbedingungen beträchtlich mehr Schwefel aufnahm, als in wenig vorbehandeltem Zustande. Folgende Tabelle möge dies illustrieren:

Tabelle 1.

Einfluß der mechanischen Vorbehandlung des Kautschuks auf seine Schwefelaufnahme nach S. Axelrod.

Vulkanisationsdauer		Stark vorbehandelte Probe	Wenig vorbehandelte Probe
		gefundener Schwefel in Proz.	
$T = 135°$	30 Min.	2,15	1,71
	60 ,,	3,50	3,23
	90 ,,	5,35	3,59
	120 ,,	5,97	4,76
$T = 130°$	30 Min.	1,24	0,99
	60 ,,	3,08	1,99
	90 ,,	3,29	2,65
	120 ,,	3,50	3,10

Axelrod weist nun sehr treffend darauf hin, daß die bisherige konstitutionschemische Darstellung des Vulkanisationsvorganges noch nie Rücksicht auf diese Veränderung des Kautschuks selbst genommen hat. Man kann hinzufügen, daß eine stöchiometrische resp. konstitutionschemische Charakterisierung dieser Änderung des Dimethylcyclooktadiens jedenfalls ganz außerordentlich schwierig erscheint. Allerdings aber lassen sich diese Einflüsse mit Axelrod folgendermaßen verständlich machen: Die Veränderung des Kautschuks durch Wärme und mechanische Vorbehandlung kann in Übereinstimmung mit den Ansichten von D. Spence über das Leimigwerden des Kautschuks „als eine Änderung des physikalischen Aggregatzustandes des komplizierten Kautschukmoleküls betrachtet werden; der Kautschuk wird also unter dem Einfluß der Wärme depolymerisiert. Es kann vielleicht auffallend erscheinen, daß der Kautschuk in so vielen Aggregatzuständen seines Moleküls uns begegnet. Wenn man aber in Betracht zieht, daß noch andere Kolloide bekannt sind, die in Molekularaggregaten verschiedener Größe und Stufen existieren, so braucht es nicht wunderzunehmen, daß ein Körper wie Kautschuk, der aus so außerordentlich großen Molekularkomplexen besteht und verhältnismäßig leicht reaktionsfähig ist, den Aggregatzustand seines Moleküls so vielfach zu ändern vermag." Dieselben Tatsachen lassen sich vom kolloidchemischen Standpunkt aus wesentlich einfacher darstellen, zusammen mit dem Vorteil, daß sich bei letzterer Betrachtungsweise ungezwungen Erklärungen für Einzeltatsachen ergeben, die auch durch die Annahme einer „Depolymerisation" des Kautschukmoleküls nicht ohne Hilfsannahmen verständlich .

sind. Stellt nämlich der Kautschuk als Kolloid ein heterogenes, d. h. mehrphasiges Gebilde dar, so ist der nächstliegende Effekt einer mit Erwärmung verbundenen mechanischen Behandlung eine innigere Vermischung der Teilphasen des Kautschuks, d. h. eine Erhöhung des Dispersitätsgrades des Gebildes. Beim „Totmahlen" des Papierbreies ist die Richtigkeit dieses Schlusses offensichtig; in dem „totgemahlenen" Produkte finden sich die Fasern in außerordentlich fein verteiltem Zustande, so daß sie beim Eintrocknen eine makroskopisch homogene, durchscheinende, hornige Masse ergeben. Man kann nun einwenden, daß dies nur eine andere Ausdrucksweise für den Begriff der „Depolymerisation der Moleküle" ist. Auf der anderen Seite muß aber hervorgehoben werden, daß von der kolloidchemischen Auffassung her eine experimentelle und zahlenmäßige Charakterisierung dieser Vorgänge durch Variation und Bestimmung des Dispersitätsgrades z. B. auf ultramikroskopischem Wege möglich erscheint, und daß weiterhin diese herangezogenen „Moleküldepolymerisationen" auf diese Weise vollkommen jeden hypothetischen Charakters entkleidet und mit sehr alltäglichen resp. besser bekannten Erscheinungen in engen Zusammenhang gebracht werden können. Hinzu kommt aber, daß sogar der Sinn der Änderungen bei der Schwefelaufnahme von mechanisch bearbeitetem „homogenisierten" Kautschuk auf Grund der capillarchemischen Auffassung mit großer Sicherheit vorausgesagt werden kann, während es konstitutionschemisch von vornherein nicht einleuchtet, warum depolymerisierter Kautschuk mehr Schwefel zu binden imstande sein soll als das „ganze" Molekül. Die absolute Menge des Adsorbierten hängt nämlich nicht nur von der Konzentration des Adsorbendums ab, sondern in erster Linie natürlich von der absoluten (und wohl auch spezifischen) Oberfläche des Adsorbens. Dies bedeutet aber, daß ein höher disperses Gebilde entsprechend seiner größeren Oberflächenentwicklung (die Folge seiner innigeren oder feineren Zerteilung) unter sonst gleichen Versuchsbedingungen mehr adsorbieren muß als ein weniger disperses. Man denke z. B. an die zunehmende Adsorptionskraft von Koks, Holzkohle, Knochenkohle, Blutkohle, Kokosnußkohle usw. Diese Auffassung stimmt also mit den Axelrodschen Versuchen völlig überein.

Ganz allgemein sei am Schlusse dieser mehr quantitativen adsorptionstheoretischen Darstellung einiger Haupteigenschaften der Vulkanisationsvorgänge hervorgehoben, daß die mannigfaltigen Erscheinungen der Hysterese (magnetische Nachwirkung), wie sie wohl bei fast allen Manipulationen mit Kautschuk zutage treten und jedenfalls in vielen Fällen die für den Praktiker so unangenehme Inkonstanz seiner Resultate veranlassen, wahrscheinlich sehr viel leichter und genauer auf physikalisch-chemischem als auf konstitutionschemischem Wege charakterisiert und beherrscht werden können. Die konstitutionschemische Auffassung hat den großen Nachteil, daß sie nur in den seltensten Fällen eine messende Verfolgung ihrer theoretischen Resultate gestattet. Im Gegensatz hierzu stehen der physikalisch-chemischen Betrachtungsweise nicht nur sofort zahlreiche Meßmethoden zur Hand, sondern sie führt

die betreffenden Erscheinungen unter Umständen gleich auf ungewöhnlich
elementare Faktoren zurück, indem sie z. B. Änderungen des Dispersitätsgrades alias „Depolymerisationen" direkt (ultramikroskopisch) zu sehen
gestattet. Diese größere Sinnfälligkeit der physikalisch-chemischen, hier
spez. kolloidchemischen Betrachtungsweise ist aber an und für sich von
besonderem Werte, wenn es sich wie hier um ein Gebiet handelt, von
dessen theoretischer Erschließung auch die Praxis einen Gewinn erhofft.

Einige weitere Tatsachen halb quantitativen Charakters, die ebenfalls für die Angemessenheit der adsorptionstheoretischen Auffassung
der Schwefelaufnahme bei der Vulkanisation sprechen, sind folgende:

f) Betrachten wir zunächst die Erscheinungen der Heißvulkanisation,
so steigt bekanntlich die Geschwindigkeit sowohl wie der absolute Be-
trag der Schwefelaufnahme mit steigender Temperatur. Von C. O.
Weber sind hierüber die ersten systematischen und z. Z. eingehendsten
Untersuchungen angestellt worden; in neuerer Zeit haben quantitative
Beiträge zu dieser Frage W. Hinrichsen und E. Stern, G. Hübener
und S. Axelrod geliefert. Allerdings beschränken sich diese Versuche
in der Regel nur auf die Bestimmung der Temperaturabhängigkeit, der
Geschwindigkeit der Schwefelaufnahme. Dagegen ist eine quantitative
Bestimmung der Änderung der endgültig aufgenommenen Schwefelmenge des „Schwefelgewichtes" mit der Temperatur noch kaum vorgenommen worden. Man weiß nur allgemein, daß das letztere zunimmt
mit steigender Temperatur. Was die Temperaturvariation der Schnelligkeit der Schwefelaufnahme anbetrifft, so lassen sich die vorhandenen
Messungen von C. O. Weber gut verwenden zur Entscheidung der Frage,
ob wir es bei diesem Vorgange mit einer typischen chemischen Reaktion zu
tun haben. Bekanntlich gilt für bei weitem die Mehrzahl der gewöhnlichen
chemischen Vorgänge die sog. van't Hoffsche Temperaturregel, welche
besagt, daß bei einer Temperaturerhöhung von 10° die Geschwindigkeit
der Reaktion sich um das 2—3,5fache vermehrt. Berechnet man die Versuche von C. O. Weber in diesem Sinne, so ergibt sich folgende Tabelle:

Tabelle 2.

Temperaturkoeffizienten der Heißvulkanisation nach den Versuchen von C. O. Weber.

Dauer der Vulkanisation Min.	Aufgenommener Schwefel bei		Q_{10}	Aufgenommener Schwefel bei		Q_{10}
	120°	130°		125°	185°	
30	0,71	0,99	1,38	0,71	1,76	2,5
60	1,18	1,44	1,2	1,32	2,17	1,6
90	1,31	2,04	1,5	1,67	2,36	1,4
120	1,62	2,32	1,4	1,91	3,92	1,5
180	1,78	2,94	1,6	2,11	4,18	1,9
240	1,93	5,00	2,6	2,22	5,50	2,5
300	2,25	5,27	2,3	2,35	6,74	2,8
360	2,60	5,82	2,3	3,80	6,88	1,7
420	3,71	6,04	1,8	4,04	6,97	1,7
480	3,94	6,33	1,8	4,31	7,13	1,6

Zunächst zeigt sich, daß die Temperaturkoeffizienten ziemlich unregelmäßig variieren. Zieht man das Mittel sämtlicher Koeffizienten, so ergibt sich die Zahl 1,87. Der Temperaturkoeffizient der Heißvulkanisation ist also nicht unwesentlich kleiner als der bei normalen chemischen Reaktionen zu erwartende, da er noch nicht einmal den Wert 2 erreicht. Der wahrscheinlichste Wert des Temperaturkoeffizienten liegt zwischen 1,5 und 2,0, indessen näher an 1,5 als an 2,0. Umgekehrt nähert sich dieser Wert des Temperaturkoeffizienten demjenigen, welchen z. B. W. M. Bayliss für die Geschwindigkeit der Adsorption von Kongorot durch Filtrierpapier fand (1,36). Wir kommen mithin zu dem Resultat, daß die Geschwindigkeit der Schwefelaufnahme nicht für die „rein chemische" Theorie, wohl aber deutlich für die „physikalisch-chemische" oder „Adsorptionstheorie" der Vulkanisation spricht.

Die qualitativ beobachtete Zunahme der absoluten gebundenen Schwefelmenge mit steigender Temperatur würde einem positiven Temperaturkoeffizienten des Adsorptionsgleichgewichts entsprechen. Neben negativen Koeffizienten, z. B. bei der Adsorption molekular gelöster Stoffe durch Kohle, sind aber auch zahlreiche positive Koeffizienten beobachtet worden, die bekanntesten vielleicht bei der Adsorption von Farbstoffen durch Gewebe, aber auch durch Mineralpulver usw.

Es schließt sich hier die in der Gummiliteratur des öfteren diskutierte Frage an, bei welcher Temperatur eine Vulkanisation überhaupt beginnt, resp. ob auch bei niederen Temperaturen irgendein Vorgang stattfindet, der als Schwefelaufnahme gekennzeichnet werden kann. Die Adsorptionstheorie würde per Analogie fordern, daß auch bei gewöhnlicher Temperatur eine Schwefelaufnahme und damit ein Vulkanisationsvorgang stattfindet, wenn schon sich aus dem Temperaturkoeffizienten der Heißvulkanisation leicht berechnen läßt, daß insbesondere die Geschwindigkeit dieser Schwefelaufnahme bei Zimmertemperatur äußerst klein sein wird. Legen wir dieser Rechnung den Wert 1,8 zugrunde, so würde sich auf Grund der Weberschen Versuche ergeben, daß eine Mischung von Kautschuk und 10% Schwefel bei 15° in 8 Stunden erst $7,13 : 12 \cdot 1,8 = 0,033\%$ Schwefel aufgenommen hätte, resp. zu einer Schwefelaufnahme von 7,13% bei Zimmertemperatur $8 \cdot 12 \cdot 1,8$ Stunden gleich etwa 173 Stunden oder über eine Woche braucht. Sehr wahrscheinlich sind aber die wirklichen Geschwindigkeiten bei Zimmertemperatur noch viel geringer, da ja bei Temperaturen über 120° auch das Absorbens, der Kautschuk, seine Eigenschaften ändert, nämlich „schmilzt" oder vielleicht richtiger „sintert". Dies ist ein Umstand, der darauf hinweist, daß die Temperaturkoeffizienten bei der Heißvulkanisation noch in dem Sinne zu groß sind, daß sie die physikalischen Änderungen des Adsorbens (des Kautschuks), die zweifellos die Adsorption beschleunigen, nicht berücksichtigen.

In der Praxis wird nun tatsächlich angegeben, daß auch bei niederer Temperatur langsame Vulkanisation stattfindet. So erwähnt J. Minder die Tatsache, „daß eine dünne Kautschukplatte, welcher Schwefel zugemischt ist, nach längerer Zeit in gewöhnlicher Temperatur vulkanisiert wird". Auch C. O. Weber gibt in Übereinstimmung hiermit an, „daß mit Schwefel gemischte Kautschukblätter in geringem Grade sich spontan vulkanisieren, sowie daß mit wachsender Temperatur die Vulkanisationsgeschwindigkeit stetig wächst". Es stehen diese Tatsachen also in völliger Übereinstimmung mit der Adsorptionstheorie, im Widerspruch dagegen z. B. zu der Thiozonidtheorie von H. Erdmann, nach welcher vulkanisierter Kautschuk ein Thiozonid des Dimethyloktadiens ist. Wie schon S. Axelrod bemerkt, ist die Bildung einer solchen Verbindung erst oberhalb 160° möglich, da nach Erdmann das Thiozon $(S_3)_8$ erst über diesen Temperaturen entsteht.

g) Aus den in Tabelle 2 mitgeteilten Zahlen C. O. Webers geht die merkwürdige Tatsache hervor, daß die Geschwindigkeit der Schwefelaufnahme in gewissen Reaktionsstadien eine plötzliche, „knickartige" Zunahme erfährt. Der einzige Erklärungsversuch, der bisher für diese seltsame Erscheinung gegeben wurde, stammt von S. Axelrod. Dieser Autor ist der Meinung, daß der Vulkanisationsprozeß aus zwei nebeneinander und in gewisser Abhängigkeit voneinander verlaufenden Prozessen besteht, „welche ihrerseits gleichzeitig von der Temperatur und Dauer der Erhitzung abhängig sind. Der erste Prozeß der Veränderung des Kautschuks unter dem Einfluß der Wärme muß in Übereinstimmung mit der Ansicht von Spence über das Leimigwerden des Kautschuks als eine Änderung des physikalischen Aggregatzustandes des komplizierten Kautschukmoleküls betrachtet werden; der Kautschuk wird also unter dem Einfluß der Wärme depolymerisiert. Unter dem Einfluß des Schwefels wird die Depolymerisation aufgehoben, es findet also ein dem ersten entgegengesetzter Prozeß, d. h. eine Polymerisation des Kautschukmoleküls, statt unter gleichzeitiger Bildung eines Schwefeladditionsproduktes. Die warme Vulkanisation ist also als eine Depolymerisation des Kautschuks unter dem Einfluß der Wärme und eine Polymerisation unter dem Einfluß des Schwefels bei gleichzeitiger Bildung eines Schwefeladditionsproduktes zu betrachten usw." Die „Knicke" kommen auf die Weise zustande, daß beide Vorgänge nicht immer gleiche Geschwindigkeit haben, sondern daß bald der eine und bald der andere überwiegt.

Sehen wir von kleinen Einzelheiten ab, so erscheint die Axelrodsche Erklärung in der Tat sehr plausibel.

Bezeichnenderweise erhält sie als wesentlichen Faktor eine „Änderung des physikalischen Aggregatzustandes des komplizierten Kautschukmoleküls"; ist mit anderen Worten keineswegs „rein konstitutionschemischer" Natur. Der einzige Einwand, den man vielleicht erheben könnte, besteht darin, daß analoge Beobachtungen bei anderen „chemischen" Reaktionen nicht bekannt sind, so daß das hier am Kautschuk beobachtete Verhalten einen gänzlich neuen Erscheinungstypus darstellen würde.

Es fragt sich nun, wie die kolloidchemische und speziell adsorptionstheoretische Auffassung der Schwefelaufnahme dieser absonderlichen Tatsache gerecht werden kann und ob sie auch hier wie in den früher behandelten Fällen wesentliche Vorzüge gegenüber irgendeiner anderen Auffassung zu bieten vermag. Dies ist in der Tat auch hier wiederum zutreffend, insofern nämlich, als bei anderen kolloiden Systemen ganz analoge „mehrteilige" oder „geknickte" Kurven, die sich auf die Aufnahme anderer Stoffe beziehen, schon seit langem beschrieben und als capillarchemische Vorgänge gedeutet worden sind. Es handelt sich hier um die Wasserbindung anorganischer Gele, wie sie insbesondere von J. M. van Bemmelen sehr eingehend untersucht wurde.

h) Eins der charakteristischesten Kennzeichen der Adsorptionsvorgänge ist die Exponentialformel, welche die Variation der adsorbierten Menge bei verschiedener Konzentration des Adsorbendums darstellt. Ist x die adsorbierte Menge, a die Menge des Adsorbens und c die anfängliche Konzentration des Adsorbendums, so gilt bekanntlich für typische Adsorptionen die Gleichung:

$$\frac{x}{a} = k \cdot c^m ,$$

worin k und m Konstanten sind. Danach steigt die Menge des adsorbierten Stoffes x zunächst mit der Konzentration c schnell an, dann langsamer und schließlich strebt sie assymptotisch einem konstanten Endwert zu (siehe Fig. 12).

Der Exponent m bedingt die Krümmung der Kurve. Die Konstante

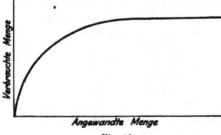

Fig. 12.

k in der Adsorptionsformel ist eine Naturkonstante, welche für den adsorbierten Stoff charakteristisch ist.

Für eine chemische Reaktion würde sich eine Linie ergeben, welche zuerst an der Ordinate und dann, wenn die chemische Verbindung entstanden ist, parallel zur Abszisse laufen müßte. Für eine Lösung des Schwefels im Kautschuk müßte man hingegen eine Gerade erhalten, welche unter einem Winkel zur Abszisse läuft.

Es würde anscheinend ein ausschlaggebender Beweis für die Angemessenheit der Adsorptionstheorie der Schwefelaufnahme des Kautschuks sein, falls es gelänge, eine derartige quantitative Prüfung derselben mit Erfolg auszuführen. Leider stehen nur außerordentlich wenig quantitative Messungen über das Verhältnis von freiem und gebundenem Schwefel bei wechselnden Zusatzmengen zur Verfügung. Während der „Gesamtschwefel" auf mehrfache Weise relativ einfach festgestellt werden kann, findet sich in der Fachliteratur in der Regel als Bestimmungsmethode des „freien" Schwefels nur die „erschöpfende Extraktion" des Musters mit Aceton, ev. mit einem anderen Lösungsmittelgemisch, ein Verfahren, das bei 3—5 g des Musters „acht und noch mehr Stunden in Anspruch nehmen kann". Man sieht die Extraktion

als beendet an, wenn der gequollene Kautschuk bei Berührung mit
Silber- oder Kupferspänen keine Schwarzfärbung mehr gibt. „Solange
noch freier Schwefel in dem Vulkanisat enthalten ist, schwärzt sich das
Kupfer nach mehr oder weniger kurzer Zeit" (E. Stern). Es lassen sich
nun aber eine ganze Anzahl von Bedenken gegen die quantitative Seite
dieses Verfahrens geltend machen. Zunächst liegen noch keinerlei
systematische Versuche vor, welche zeigen, daß man bei verschiedenen
Acetonmengen und verschieden langen Extraktionszeiten und -tempe-
raturen bei demselben Muster identische Resultate erhält. Jeder Ana-
lytiker, der nicht gerade grobkörnige Niederschläge ausgewaschen hat,
weiß, daß die letzten Spuren nur mit großen Mengen Waschmittel und
erst nach langer Zeit entfernt werden können. Ja, theoretisch ist bekanntlich zur absoluten Entfernung der letzten Spuren unendlich viel
Lösungsmittel und Zeit nötig. Hat man es nun gar mit „gallertartigen"
Niederschlägen wie hier zu tun, so kann nur ein willkürlich festgesetzter
Punkt „minimaler" Verunreinigung als Kriterium für die Beendigung
des Vorganges dienen. In unserem Falle wird hierzu das Aufhören der
qualitativen Reaktion der Sulfidbildung von Metallspänen benutzt.
Abgesehen nun davon, daß je nach der Reinheit (Gegenwart kataly-
sierender Verunreinigungen), der Oberflächenbeschaffenheit usw. diese
Reaktion verschieden ausfallen wird, so erscheint es keineswegs sicher,
daß der in irgendeiner dispersen Form im Kautschuk enthaltene „freie"
Schwefel dieselben Reaktionen geben muß, wie etwa in Schwefelkohlenstoff gelöster Schwefel oder Schwefeldampf. Setzen wir z. B. den Fall,
daß der „freie" Schwefel im Kautschuk in kolloider Form enthalten ist,
so kann man sehr wohl eine „Trägheit" in chemischer Beziehung erwarten. Außerdem ist noch die Geschwindigkeit der Prüfungsreaktion
in Betracht zu ziehen, die ja ebenfalls variiert. Hinzu kommt, daß nach
den oben beschriebenen Versuchen von J. B. Höhn, bei Verwendung
gewisser Lösungsmittel, wie z. B. Benzin, unter allen Umständen freier
Schwefel mikroskopisch nachgewiesen werden kann. Bedingung für das
Zustandekommen dieses Versuches ist voraussichtlich eine wenn auch
geringe Quellbarkeit des Kautschuks neben der Löslichkeit für Schwefel.
Es ergibt sich hieraus, daß zur Bestimmung des „freien" Schwefels nur
solche Lösungsmittel benutzt werden dürfen, welche den Kautschuk
nicht quellen lassen. Von einer Quellbarkeit in Aceton ist nun in der
Tat nichts bekannt, im Gegenteil wird Aceton als Fällungsmittel für
Kautschuk verwandt. Allerdings ist hiermit eine geringe Quellbarkeit
auch in dieser Flüssigkeit nicht völlig ausgeschlossen.

Allgemein muß man sagen, daß diese Methode zu denjenigen gehört,
welchen von Budde das zweifelhafte Lob zuerteilt worden ist, daß sie
„Ergebnisse liefern, wie man sie bei einem Körper mit Eigenschaften
des Kautschuks nicht besser verlangen kann."

Es erscheint, als wenn eine quantitative Prüfung der Adsorptionstheorie der Schwefelbildung im Kautschuk auf Grund der mit der Extraktionsmethode gewonnenen Daten aussichtslos wäre. Ja man könnte
glauben, daß es einen Widerspruch gegen diese Theorie bedeuten würde,

wenn man in der fraglichen Weise vorginge. Denn in den einfacheren Fällen der Adsorption ist das Adsorptionsgleichgewicht von beiden Seiten her zu erreichen, d. h. bei genügender Verdünnung müßte aller Schwefel wieder in Lösung gehen. Nun ist indessen eine völlige Reversibilität keineswegs stets charakteristisch für Adsorptionsvorgänge. Es scheint nicht ausgeschlossen, daß auch der adsorbierte Schwefel für bestimmte Lösungsmittel wie Aceton unlöslich geworden ist und der scheinbare Widerspruch würde sich hiermit heben. Sollten die mit der Extraktionsmethode gewonnenen Daten der Exponentialformel gehorchen, so würde das als Beweis für die Richtigkeit dieser Annahme angesehen werden können. Überdies können die obenerwähnten Fehlerquellen für eine Versuchsreihe durch Konstanthalten z. B. des zur Extraktion verwandten Acetonvolumens jedenfalls eingeschränkt werden.

i) Vulkanisationsversuche von E. Stern. Von E. Stern (und F. W. Hinrichsen) ist eine Methode erdacht worden, die sich zweifellos dem Ideal stark nähern würde, falls sie praktisch verwendet werden könnte. Dieser Autor untersuchte die Vulkanisationsvorgänge an Kautschuklösungen in Naphthalin. Schwefel, der sich in Naphthalin anscheinend molekulardispers löst, erniedrigt dementsprechend den Erstarrungspunkt desselben, im Gegensatz zu Kautschuk, der wegen seines kolloiden Zustandes keine Erniedrigung bewirkt. „Geht man von der Annahme aus, daß der an das Kautschukmolekül addierte Schwefel den Gefrierpunkt nicht erniedrigt, so muß mit fortschreitender Vulkanisation ein Steigen des Gefrierpunktes entsprechend der abnehmenden Schwefelkonzentration eintreten." In der Tat bestätigen Versuche diese Ansicht, leider waren aber die beobachteten Änderungen so klein, daß keinerlei quantitative Folgerungen aus ihnen gezogen werden konnten. Stern griff daher wieder auf das Extraktionsverfahren zurück, indem er bestimmte Mengen des Kautschuk-Schwefel-Naphthalin-Gemisches in eine konstante Menge Aceton brachte und in angegebener Weise das „Ende" derselben bestimmte. Leider hat er bisher nur eine einzige Versuchsreihe veröffentlicht.

Berechnet man nun diese Versuche gemäß der Adsorptionsgleichung, so erhält man die in Tabelle 3 wiedergegebenen Resultate. Die größte Abweichung zwischen Beobachtung und Rechnung beträgt nur 0,79%. Man muß also sagen, daß die Übereinstimmung ganz erstaunlich gut ist, namentlich wenn man berücksichtigt, daß die Abweichungen unregelmäßig sowohl positiv wie negativ sind, sowie die Fehlerquellen der Bestimmung des „freien" Schwefels in Betracht zieht.

Nun hat bereits E. Stern seine Resultate rechnerisch ausgewertet und ist zu dem Resultat gekommen, daß zwischen zugesetztem und aufgenommenem Schwefel Proportionalität herrscht. Rechnet man seine Versuche genauer aus entsprechend der Proportionalitätsgleichung $\frac{c}{x} = K$, so erhält man die in Tabelle 4 wiedergegebenen Resultate.

Tabelle 3.

Vulkanisationsversuche von E. Stern mit Kautschuk, Schwefel und Naphthalin.

L Kautschuklösung g	a absolut. Kautschuk g	S absolut. zuges. Schwefel g	s absolut. gebunden. Schwefel g	$c = \dfrac{S}{L}$ Konzentr. des zuges. Schwefels	$z = \dfrac{S}{a}$ relat. gebund. Schwefel		Schwefel
					beobachtet	berechnet	Differenz
18,66	0,982	1,178	0,0382	0,0631	0,0389	0,0389	+ 0,0000
23,15	1,218	2,193	0,0641	0,0947	0,0526	0,0524	+ 0,0002
23,06	1,214	2,912	0,0774	0,1263	0,0638	0,0643	— 0,0005

Die Berechnung erfolgte nach der Gleichung $x = k \cdot c^m$; Mittelwert von $k = 0,28683$; Exponent $m = 0,723$; größte Abweichung zwischen Beobachtung und Rechnung $= 0,79\%$.

Die größte Abweichung zwischen Beobachtung und Rechnung beträgt $11,6\%$, d. h. fast 15 mal mehr als bei Berechnung mit der Adsorptionsgleichung. Außerdem zeigen die Abweichungen einen ausgesprochenen Gang insofern, als die erste stark positiv, die dritte stark negativ ist. Man kann also nur in sehr grober Annäherung von einer Proportionalität zwischen zugesetztem und aufgenommenem Schwefel sprechen. Gleichzeitig entkräftet der Vergleich beider Berechnungsweisen den Einwand, daß wegen des relativ kleinen untersuchten Kozentrationsintervalls ungefähr jede Gleichung, die eine nur wenig gekrümmte Kurve darzustellen vermag, eine Berechnung ermöglichen könnte. Bei graphischer Darstellung der Beziehung zugesetzter Schwefel mal gebundener Schwefel könnte man in der Tat eher an eine lineare Formel denken. Bei der Berechnung mittels der Adsorptionsformel könnte es auffallen, daß als Konzentrationsangabe nicht der Quotient $\dfrac{S}{L - a}$, sondern das Verhältnis von zugesetztem Schwefel und der gesamten Kautschuklösung benutzt wurde.

Tabelle 4.

Vulkanisationsversuche von E. Stern mit Kautschuk, Schwefel und Naphthalin.

c Konzentration des zugesetzten Schwefels	x Beobachteter relativ gebundener Schwefel	x_1 idem, berechnet mit dem Mittel von K	Differenz	$K = \dfrac{c}{x}$
0,0631	0,0389	0,0344	+ 0,0045	1,62
0,0947	0,0526	0,0526	± 0,0000	1,80
0,1263	0,0638	0,0698	— 0,0060	1,99

Die Berechnung erfolgte nach der Gleichung $x_1 = \dfrac{c}{K_{\text{mittel}}}$; Mittelwert von $K = 1,80$; größte Abweichung zwischen Beobachtung und Rechnung $11,6\%$.

Versucht man eine Berechnung mit den Werten $\dfrac{S}{L - a}$, so erhält man

sehr schlechte Resultate; statt der geforderten Geraden als dem Produkt
der Logarithmen von x und c erhält man eine stark zur Abszisse gekrümmte
Kurve. Es ergibt sich hieraus der Schluß, daß der in Naphthalin auf-
gelöste Kautschuk ebenfalls als Lösungsmittel für Schwefel dient. In der
Tat erscheint dieser Schluß sehr plausibel auf Grund der Auffassung,
daß emulsoide Lösungen, wie der Kautschuk eine solche von typischer
Form ist, aus zwei flüssigen Phasen bestehen. Wir hätten also bei der
Schwefelaufnahme von Kautschuk-Naphthalin-Lösungen den interessanten Fall vor uns, daß sich ein Stoff zwischen zwei flüssigen Phasen nicht
entsprechend dem Henryschen Verteilungssatz (Proportionalität),
sondern gemäß der Adsorptionsgleichung verteilt. Man kann vermuten,
daß nur in flüssig-flüssigen Systemen von sehr großem Dispersitätsgrade,
also bei Emulsoiden, die in der Adsorptionsgleichung zum Vorschein
kommende Rolle der Oberflächenenergien zur Wirkung gelangt. Es sei
indessen mit Nachdruck hervorgehoben, daß dieselben Erscheinungen
schon vielfach an anderen emulsoiden Systemen, insbesondere an Eiweiß-
lösungen und anderen Organismen beobachtet worden sind, und daß speziell
auch in diesen Fällen sich die Adsorptionsformel als gültig erwiesen hat.

k) **Vulkanisationsversuche von G. Hübener.** Von diesem Autor
sind einige quantitative Versuche über die Abhängigkeit des aufgenommenen Schwefels von der Menge des zugesetzten bei Hartgummipro-
dukten, d. h. also bei großen Prozentsätzen von Schwefel, angestellt
worden. Seine Bestimmungsmethode des nach der Vulkanisation „un-
verbunden" gebliebenen Schwefels beruht auf der Voraussetzung, daß
der Schwefel chemische Bindungen von ganz bestimmter Form mit dem
Kautschukmolekül eingeht, so daß z. B. bei der sog. Bromierung des
Kautschuks „der an die Stelle einer doppelten Bindung getretene Schwefel von Brom nicht mehr verdrängt werden kann. Es müssen im vulkanisierten Gummi, je nach der Vulkanisationsstufe, Kautschukmoleküle ohne Schwefelanlagerung neben solchen mit einem Atom Schwefel
und bei höher vulkanisierten auch solche mit zwei Atomen Schwefel
bei gleichzeitiger Anwesenheit von freiem Schwefel vorhanden sein,
die sich bei der Bromierung in Tetrabromkautschuk resp. in Brom-
schwefelkautschukmoleküle umwandeln oder als gesättigte Schwefelkautschukmoleküle unverändert bleiben. Bei der Analyse darf man also,
wie aus dieser Erklärung ohne weiteres einzusehen ist, nicht die Summe
dieser je in verschieden großer Anzahl — abhängig vom Vulkanisations-
koeffizienten — auftretenden Moleküle insgesamt als Tetrabromid an-
sprechen und als solches in Rechnung ziehen, sondern muß zu der als
an Brom gebunden gefundenen Menge Kautschuk auch noch die an
Schwefel gebundene addieren. Den gebundenen Schwefel findet man
aus der Differenz vom Gesamtschwefel und dem freien Schwefel, der bei
der Bromierung quantitativ zu Schwefelsäure oxydiert wird und sich
im Filtrat vom „Bromid" vorfindet.

Die auf den vorangehenden Seiten enthaltenen Ausführungen, besonders die in Abschnitt c) erörterte große Fragwürdigkeit des Bestehens
stöchiometrisch zusammengesetzter Minimal- und Maximalprodukte

des Schwefel-Kautschuks lassen die Grundlagen dieser Methode als äußerst bedenklich erscheinen. Immerhin widerspricht es keineswegs der adsorptionstheoretischen Auffassung der Schwefelbindung im Kautschuk, wenn bei bestimmter Konzentration z. B. besonders stabile stöchiometrisch zusammengesetzte Produkte auftreten, und man kann wenigstens versuchen, auch diese Resultate rechnerisch darzustellen.

Zunächst zeigt sich, daß auch hier die Exponentialformel sehr viel bessere Resultate liefert als die lineare Gleichung (größte Abweichung 2,3 zu 16,9%). Die Adsorptionsgleichung gilt mit anderen Worten in grober Annäherung auch für die Verteilung des Schwefels innerhalb des Kautschuks selbst, d. h. ohne Zusatz eines Lösungsmittels. Nun ist zu berücksichtigen, daß bei den Vulkanisationstemperaturen (130—150° und darüber) der Kautschuk „schmilzt" resp. „sintert". Wir hatten also auch in diesem Falle die adsorptionsgemäße Verteilung eines Stoffes zwischen zwei flüssigen Phasen vor uns, insofern als der Schwefel sich zwischen der flüssigen dispersen Phase des geschmolzenen Kautschuks und dem flüssigen Dispersionsmittel verteilt. Natürlich ist hierbei unter „Flüssigwerden" nur ein Verschwinden beträchtlicher Werte von Verschiebungselastizität usw. zu verstehen. Damit würden sich diese Versuche an die oben berechneten von Stern anschließen.

Indessen läßt sich noch ein interessanter Unterschied zwischen beiden Gruppen von Vulkanisationsversuchen feststellen, der namentlich beim Vergleich ihrer graphischen Darstellung augenscheinlich wird. Die Kurve für die Hartgummivulkanisation hat gerade die entgegengesetzte Krümmung wie die Kurve, welche die Vulkanisation von Kautschuklösungen darstellt. Auch rechnerisch zeigt sich ein nicht unwesentlicher Unterschied insofern, als zunächst der Exponent für die Sternschen Versuche innerhalb der häufigsten Größen von Adsorptionsexponenten liegt, nämlich größer als 0,5 und kleiner als 1,0 ist. Im Gegensatz hierzu ist der Exponent für die Hartgummiversuche außerordentlich hoch, nämlich 3,26. Nun läßt sich aber die Formel $x = k \cdot S^m$ ohne weiteres umschreiben in die Gleichung $x^n = k_1 \cdot S$; hierbei ergibt sich der neue Exponent n zu $\frac{1}{m} = 0,31$, d. h. zu einem ziemlich normalen Wert.

Tabelle 5.

Vulkanisationsversuche von Hübener mit Hartgummi.

a absoluter Kautschuk %	S absolut. zugesetzter Schwefel %	s absolut. gebund. Schwefel %	$x = \frac{s}{a}$ relativ gebundener Schwefel		
			beobachtet	berechnet	Differenz
30,23	22,00	3,92	0,130	0,133	— 0,003
29,01	24,39	5,52	0,190	0,186	+ 0,004
26,58	24,44	5,01	0,189	0,187	+ 0,002
19,21	22,96	2,88	0,150	0,153	— 0,003

Die Berechnung erfolgte gemäß der Gleichung $x = K \cdot S^m$; Mittelwert von $K = 0,000005452$; Exponent $m = 3,26$; größte Abweichung zwischen Beobachtung und Rechnung = 2,3%.

Tabelle 6.

Vulkanisationsversuche von Hübener mit Hartgummi.

S absoluter zugesetzter Schwefel %	z beobachtet. relativ gebunden. Schwefel %	x_1 idem, berechnet mit dem Mittel von K	Differenz	$K = \dfrac{S}{z}$
22,00	0,130	0,152	— 0,022	169,2
24,39	0,190	0,168	+ 0,022	128,3
24,44	0,189	0,169	+ 0,020	129,3
22,96	0,150	0,158	— 0,008	153,1

Die Berechnung erfolgte nach der Gleichung $x_1 = \dfrac{S}{K_{\text{mittel}}}$; Mittelwert von $K = 144,9$; größte Abweichung zwischen Beobachtung und Rechnung $= 16,9\%$.

Bei der Schwefelaufnahme des Kautschuks handelt es sich offenbar um die gegenseitige Adsorption zweier disperser Phasen, des emulsoiden Kautschuks und des in ihm in irgendeiner dispersen Form verteilten Schwefels. Bei bestimmten mittleren Mengenverhältnissen zweier disperser, sich gegenseitig adsorbierender Phasen ist es aber aus rein topographischen resp. stereometrischen Gründen notwendig, daß die Phase, welche zuerst Adsorbens war, zum Adsorbendum wird und umgekehrt. Es liegt sehr nahe, auch das Verhalten der Sternschen und Hübenerschen Versuche zueinander in diesem Sinne zu deuten, namentlich da sich die in beiderlei Versuchen gebundenen Schwefelmengen verhalten wie etwa 1 : 4. Allerdings wäre zuvor eine umfassende und vergleichende Prüfung des Hübenerschen Verfahrens zur Bestimmung des freien Schwefels unbedingt notwendig.

Soweit die Anschauungen von C. O. Weber und Wo. Ostwald, welche ich größtenteils den Originalarbeiten wörtlich entnommen habe, weil sie die beiden entgegengesetzten Grundideen der Vulkanisationstheorie darstellen. Die Arbeit Wo. Ostwalds gab Hinrichsen und Kindscher Veranlassung zu einer Arbeit, welche die Aufklärung der Erscheinungen speziell der Kaltvulkanisation unter kritischer Nachprüfung der Versuche Webers zum Ziele hatte. Zu diesem Zwecke versuchten sie zunächst die ursprünglichen Versuche Webers nachzuahmen, um festzustellen, ob es überhaupt möglich sei, eine bestimmte Verbindung von konstantem Schwefelgehalt bei Innehaltung der von Weber beschriebenen Arbeitsweise zu erhalten. Die Beobachtungen von Henriques ließen ja bereits diesen Ausgangspunkt der Weberschen Theorie zweifelhaft erscheinen. Zu ihren Versuchen benutzten sie eine Kautschukquellung in thiophenfreiem Benzol, die aus gewaschenem Parafell nach dreimaliger Reinigung gemäß den Vorschriften von Harries — Aufquellen in Benzol und Ausfällen mit Alkohol — gewonnen war. Abgemessene Mengen dieser Quellung wurden mit einem größeren Überschuß einer benzolischen Schwefelchlorürlösung versetzt, was der Verbindung $(C_{10}H_{16})S_2Cl_2$ entspricht. Das Benzol war über Natrium vorher getrocknet worden. Der entstehende Niederschlag wurde abgepreßt, mit Schwefelkohlenstoff erschöpfend ausgezogen und der Schwefelgehalt nach Rothe ermittelt. In der folgenden Tabelle sind die erhaltenen Zahlen zusammengestellt:

Schwefelgehalt von nach Weber gewonnenem kalt-vulkanisierten Kautschuk.

Nummer des Versuches	Schwefel %
1	26,15
2	15,58
3	19,91
4	28,37
5	20,18
6	18,15
7	27,51
8	21,18

Aus den angeführten Zahlen folgt, daß es in keinem Falle gelang, den von Weber gefundenen Wert 23,62% Schwefel zu erhalten. Es war ferner nicht möglich, auch nur einigermaßen miteinander übereinstimmende Gehalte trotz sorgfältigsten Arbeitens zu beobachten, vielmehr weichen. die Einzelwerte erheblich voneinander ab. Bemerkenswert ist, daß eine Reihe der Ergebnisse niedriger liegt als der von Weber beobachtete und der von ihm angenommenen Verbindung zugrunde gelegte Wert von 23,6%. Da es bei den innegehaltenen Versuchsbedingungen so gut wie ausgeschlossen ist, daß gebundener Schwefel aus dem Additionsprodukt durch die Weiterbehandlung nachträglich wieder herausgenommen sein könnte, so müssen, falls überhaupt eine chemische Verbindung von bestimmter Zusammensetzung vorliegt, die niedrigsten Zahlen der Tabelle als die wahrscheinlichsten gelten. Die übrigen höheren Werte wären dann in der Weise zu erklären, daß es nicht gelang das infolge von Adsorption dem Additionsprodukt noch anhaftende Schwefelchlorür oder wahrscheinlicher den aus letzterem durch Feuchtigkeit der Luft oder auch durch den Alkohol abgeschiedenen Schwefel vollständig zu entfernen. Diese Annahme wurde durch die Beobachtung bestätigt, daß der aus Schwefelchlorür abgeschiedene Schwefel überhaupt in Schwefelkohlenstoff zum Teil unlöslich ist.

Nachdem also die unmittelbare Analyse des Additionsproduktes versagte, blieb als einziger Weg zur Aufklärung der Verhältnisse die in der Kolloidchemie vielfach benutzte indirekte Analyse. Man brauchte nur die Kautschukquellung mit der Schwefelchlorürlösung zu versetzen und den entstehenden Niederschlag absitzen zu lassen. In einem herauspipettierten Teile der überstehenden klaren Lösung war sodann der Gehalt an freiem Schwefelchlorür zu ermitteln und hieraus unter Berücksichtigung des Gesamtvolumens die Menge des gebundenen Schwefelchlorürs zu berechnen. So einfach aber die Frage vom theoretischen Standpunkte aus erschien, so große Schwierigkeiten zeigten sich bei der experimentellen Bearbeitung. Diese lagen vornehmlich in der großen

Flüchtigkeit und der verhältnismäßig leichten Zersetzbarkeit des Schwefelchlorürs.

Je 25 ccm einer benzolischen Kautschukquellung, die aus gereinigtem
Parakautschuk nach Harries gewonnen war, entsprechend etwa 0,5 g
Kautschuk, wurden mit überschüssiger benzolischer Schwefelchlorürlösung in mit Glasstopfen verschließbaren Glasflaschen von 100 ccm
Inhalt versetzt, die Flaschen mit Paraffin gut abgedichtet und drei
Wochen unter gelegentlichem Umschütteln vor direktem Tageslicht ge-
schützt stehen gelassen. Das angewandte thiophenfreie Benzol war über
Natrium getrocknet. Nach dem vollständigen Absitzen des Niederschlages wurden die Flaschen geöffnet und 10 ccm der klaren überstehenden Lösung in einem mit absteigendem Kühler versehenen, mit Alkohol
beschickten Kolben pipettiert. Der Kühler stand in unmittelbarer Verbindung mit zwei Absorptionsgefäßen mit alkoholischer Kalilauge.
Endlich war noch ein Erlenmeyerkölbchen mit Silbernitratlösung vor-
geschaltet.

Das Schwefelchlorür wurde in dem Destillationskolben durch den
Alkohol zersetzt. Die Salzsäure destillierte beim Erhitzen mit dem Benzol
über und wurde in der vorgelegten alkoholischen Natronlauge aufge-
fangen. Letztere wurde verwendet, um das stets mit übergehende un-
zersetzte Schwefelchlorür noch nachträglich zu zersetzen. Dieser Vorgang wird infolge der besseren Mischbarkeit der alkoholischen Lauge mit
der benzolischen Lösung wesentlich erleichtert. Das vorgeschaltete
Silbernitrat hatte den Zweck nachzuweisen, ob etwa noch unabsorbierte
Salzsäure entwiche. Es trat übrigens in keinem Falle noch Trübung
dieser zuletzt vorgelegten Flüssigkeit ein.

Der Inhalt des Destillationskolbens wurde fast vollständig abdestil-
liert, hierauf alkoholische Natronlauge hinzugefügt und bis zur Hälfte
der hinzugefügten Raummenge weiter übergetrieben. Nach Beendigung
der Destillation wurde der im Kolben verbliebene Rest mit dem Inhalte
der beiden Vorlagen vereinigt und die Flüssigkeit zur Entfernung des
Benzols und Alkohols ziemlich weit eingedampft. Nach dem Abkühlen
und schwachen Ansäuern mit Salpetersäure wurde etwa abgeschiedener
Schwefel abfiltriert und das Filtrat mit Silbernitrat gefällt.

Von der Schwefelchlorürlösung entsprach 1 ccm 0,0433 g S_2Cl_2. Auf
diese Weise wurden die folgenden Zahlen erhalten:

Angew. Kautschuk g	Angew. S_2Cl_2 ccm	Angew. S_2Cl_2 g	Gefundenes AgCl g	Gefundenes S_2Cl_2 g	Verbrauchtes Schwefelchlorür g
0,5	10	0,4330	0,1087	0,1776	0,2552
0,5	10	0,4330	0,1093	0,1802	0,2526
0,5	15	0,6495	0,2026	0,3816	0,2679
0,5	15	0,6495	0,2103	0,3960	0,2535
0,5	20	1,0825	0,3410	0,8030	0,2795
0,5	25	1,0825	0,3458	0,8140	0,2685
0,5	25	1,0825	0,3435	0,8085	0,2740
0,5	30	1,2990	0,3993	1,0346	0,2644

Die Zahlen der letzten Spalte der Tabelle zeigen, daß der Schwefel-chlorürverbrauch für eine und dieselbe Menge Kautschuk unabhängig von der Größe des angewandten Schwefelchlorürüberschusses annähernd konstant ist. Diese interessante Tatsache deutet also darauf hin, daß in dem abgeschiedenen Niederschlag tatsächlich eine bestimmte chemische Verbindung vorliegt. Daß die mit höheren Überschüssen von Schwefel-chlorür gefundenen Zahlen für den Schwefelchlorürverbrauch etwas höher liegen als die in der Tabelle zuerst angeführten Werte für 10 und 15 ccm S_2Cl_2, kann leicht in folgender Weise seine Erklärung finden: Je größer die angewandte Menge des Schwefelchlorürs, um so größer ist auch die Gefahr, daß beim Öffnen der Flasche und beim Herauspipet-tieren der klaren Lösung eine kleine Menge des überschüssigen Schwefel-chlorürs infolge seiner erheblichen Flüchtigkeit für die Analyse verloren geht. Man findet infolgedessen etwas zu wenig Chlorsilber, und der Schwefelchlorürverbrauch erscheint daher etwas zu groß.

Da die Gruppen $C_{10}H_{16}$ und S_2Cl_2 annähernd gleiches Molekular-gewicht (136 und 135) besitzen, entspricht ein Schwefelchlorürverbrauch von 0,25 g auf 0,5 g Kautschuk einer Verbindung von der Zusammen-setzung $(C_{10}H_{16})_2S_2Cl_2$.

Die Zusammensetzung der oben durch indirekte Analyse festge-stellten Verbindung zwischen Schwefelchlorür und Kautschuk steht mit den Angaben Webers in direktem Widerspruch. Diese Tatsache ist nur so zu erklären, daß die von Weber gefundenen Analysen-zahlen Zufallswerte darstellen.

Die Formel $(C_{10}H_{16})_2S_2Cl_2$, welche auf Grund der vorher geschilderten Versuche. der Verbindung zwischen Kautschuk und Schwefelchlorür zugeschrieben werden muß, erfordert einen Schwefelgehalt von 15,7%. Aus den Zahlen der Tabelle geht hervor, daß der niedrigste beobachtete Wert, welcher von vornherein nach den früheren Darlegungen als der wahrscheinlichste in Betracht kommt, 15,6 beträgt. Diese Zahl liefert also eine direkte Bestätigung der durch indirekte Analyse erhaltenen Ergebnisse. Um noch weiter zu beweisen, daß die höheren Werte der Tabelle durch die Adsorption von Schwefel bedingt sind, wurden fol-gende Versuche von W. Hinrichsen und E. Kindscher angestellt.

Etwa 5 g Ceylonkautschuk wurden mit etwa 10 g Schwefelchlorür in benzolischer Lösung gefällt. Der weiße Niederschlag wurde abgesaugt und zunächst mit Benzol, dann mit Alkohol und Äther gut ausgewaschen und getrocknet. Die Schwefelbestimmung ergab 28,56 und 28,78%. Es war somit eine merkliche Menge Schwefel zurückgehalten worden.

Der Rest des weißen Pulvers wurde hierauf mit Schwefelkohlenstoff erschöpfend ausgezogen, mit Alkohol und Äther gewaschen und ge-trocknet. Nach dieser Behandlung ergaben sich Schwefelgehalte von 24,88 und 25,04%. Es war also ein kleiner Teil des Schwefels auf diese Weise entfernt worden.

Da nach dem früher Gesagten ein Teil des Schwefels in einer in Schwe-felkohlenstoff unlöslichen Form vorliegen konnte, wurde versucht, diesen durch Ausziehen mit farblosem Schwefelammonium in Lösung zu bringen. In der Tat gelang es, auf diesem Wege den Schwefelgehalt bis auf 19,27% herabzudrücken.

. Da es auf die angegebene Weise nicht möglich gewesen war, unmittelbar zu der reinen Verbindung zu gelangen, wurde versucht, durch Behandlung mit alkoholischer Kalilauge den Rest des adsorbierten Schwefels in Lösung zu bringen und gleichzeitig durch die nach Webers Versuchen zu erwartende Salzsäureabspaltung einen halogenfreien Körper zu gewinnen. Es zeigte sich, daß in der Tat bei mehrtägigem Kochen mit alkoholischer Natronlauge ein dunkelbrauner harter Körper gebildet wurde, der sich als chlorfrei erwies.

Unter der Voraussetzung, daß die Verbindung $C_{20}H_{32}S_2Cl_2$ zwei Moleküle Salzsäure abspaltete, wäre ein Körper der Zusammensetzung $C_{20}H_{30}S_2$ mit einem Schwefelgehalt von 19,2% zu erwarten gewesen. Weber hat dagegen ein bei gleicher Behandlungsweise entstehendes Produkt der Formel $C_{10}H_{14}S_2$ beschrieben, dessen Schwefelgehalt von 32,3% er durch seine Analysen bestätigt fand.

Das von W. Hinrichsen und E. Kindscher hergestellte braune Derivat wurde mit Wasser bis zur völligen Entfernung des Alkalis ausgelaugt, mit Alkohol und Äther nachgewaschen und getrocknet. Die Schwefelbestimmung ergab 21,12 und 20,75%. Hierauf wurde das Kochen mit alkoholischer Natronlauge einen weiteren Tag lang fortgesetzt und dann die Verbindung von neuem analysiert. Es ergaben sich 20,87 und 20,75% Schwefel. Es ist sehr wahrscheinlich, daß der analysierte schwer zerreibliche Körper noch immer kleine Mengen von Schwefel zurückhielt. Jedenfalls ist die Abweichung von dem Weberschen Befunde so groß, und die Annäherung an den unter der Voraussetzung der Formel $C_{20}H_{32}S_2$ zu erwartenden Schwefelgehalt so bemerkenswert, daß man die letztere Formel wohl als genügend begründet ansehen kann.

Jedenfalls dürfte aus allen erwähnten Versuchen mit Sicherheit hervorgehen, daß im Falle der Kaltvulkanisation mit der Bildung einer bestimmten Verbindung zwischen Kautschuk und Schwefelchlorür ebenso zu rechnen ist, wie etwa mit der Bildung des Tetrabromides bei der Einwirkung von Brom.

Es sei besonders hervorgehoben, daß der Nachweis einer bestimmten chemischen Verbindung durchaus nicht etwa ausschließt, daß auch bei der Kaltvulkanisation daneben noch Adsorptionserscheinungen eine wesentliche Rolle spielen. Die Versuche von W. Hinrichsen und E. Kindscher wurden in Lösung und unter sorgfältigem Ausschluß von Spuren Feuchtigkeit durchgeführt. Dagegen ist bei Zutritt von Feuchtigkeit der Luft sogleich die Möglichkeit der Schwefelabscheidung aus Schwefelchlorür und damit der Entstehung von Adsorptionsverbindungen gegeben. Im Zusammenhange hiermit wäre die von Höhn beobachtete Tatsache, daß gelbe Schwefelchlorürlösungen besser zur Vulkanisation verwendbar sind als farblose schwefelfreie, leicht zu verstehen.

Die technischen vulkanisierten Kautschukwaren wären demnach wohl am besten als Adsorptionen von Schwefel in „festen" oder „halb-

festen Lösungen" des Schwefelchlorür-Additionsproduktes in überschüssigem Kautschuk aufzufassen.

Unmittelbar nach der Arbeit von Hinrichsen und Kindscher erschien eine Abhandlung von B. Bysow über den gleichen Gegenstand.
B. Bysow wandte für seine Versuche ein grundsätzlich anderes Verfahren als die genannten Autoren an. B. Bysow wollte feststellen,
welchen Einfluß die Konzentration des Chlorschwefels im Bad und die
Dauer der Vulkanisation auf den Gehalt des Endproduktes an gebundenem Schwefel ausüben.

Seine Arbeitsweise war folgende. Er stellte Lösungen von sechs
Konzentrationsstufen her, und zwar 0,6, 1,2, 1,8 ... 3,6 g S_2Cl_2 in 100 ccm
Benzin; Benzin wurde deshalb gewählt, weil er ein Lösungsmittel für
Schwefel vermeiden wollte. In je 100 ccm dieser Lösungen wurden genau
abgewogene etwa 0,5 g schwere Platten native Para von gleicher Dicke
(etwa 0,5 mm) und gleicher Oberfläche gebracht, nach einer halben
Stunde herausgenommen, zuerst mit Benzin, dann mit Aceton abge-
spült und darauf in Extraktoren nach Rademacher 12 Stunden lang
mit Aceton extrahiert. Darauf bestimmte B. Bysow direkt den Schwefelgehalt der Proben und bezog denselben auf das ursprüngliche Gewicht.
Die sechs Proben enthielten Schwefel:

Konzentration des Bades	S_2Cl_2 in 100 ccm g	S im Kautschuk %
1	0,6	1,39
2	1,2	1,79
3	1,8	2,96
4	2,4	3,87
5	3,0	4,17
6	3,6	5,38

Die Schwefelgehalte liegen auf einer Geraden, es sieht also aus, als
gelte hier das Henrysche Verteilungsgesetz. Man mußte sich aber vor
allen Dingen überzeugen, ob nach einer halben Stunde das Gleichgewicht
schon eingetreten und das Maximum des Schwefelgehaltes erreicht ist.

B. Bysow nahm daher die mittlere Konzentration 3 mit 1,8 g
S_2Cl_2 in 100 ccm Benzin, legte in je 100 ccm dieser Lösung ein Stückchen
Para wie oben; nach Zeitabschnitten von je
10 Minuten wurden die Proben herausgenommen, auf den Schwefelgehalt untersucht
und ergaben:

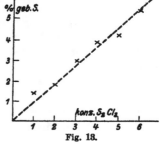

Fig. 13.

nach Minuten	Schwefel %
10	0,91
20	1,98
30	2,96
40	3,33
50	3,96
60	4,74

Man sieht, das Gleichgewicht ist nicht einmal nach einer Stunde eingetreten, daher wandte sich B. Bysow an kleinere Konzentrationen,

da ja auch die Adsorptionsformel für kleinere Konzentrationen hauptsächlich Gültigkeit hat.

In derselben Weise wurde der Zeitverlauf des Vulkanisationsprozesses verfolgt in der Lösung von 0,1 g S_2Cl_2 in 100 ccm Benzin. Die entsprechenden Schwefelgehalte waren:

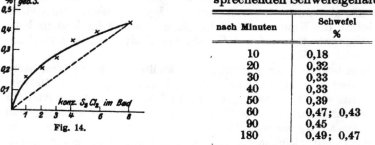

Fig. 14.

nach Minuten	Schwefel %
10	0,18
20	0,32
30	0,33
40	0,33
50	0,39
60	0,47; 0,43
90	0,45
180	0,49; 0,47

Nach einer Stunde ist das Gleichgewicht schon eingetreten und es wird kein Schwefel mehr aufkommen. Weitere Versuche mit Konzentrationen von 0,2, 0,4 g S_2Cl_2 in 100 ccm Benzin zeigten, daß das Gleichgewicht erst nach zwei Stunden resp. noch längerer Zeit eintritt.

Um nun die Abhängigkeit der Schwefelbindung von der Konzentration des S_2Cl_2 im Bad festzustellen, nahm Bysow Lösungen von 0,0125 g S_2Cl_2 bis 0,1 g in 100 ccm Benzin. Nach zwei Stunden wurden die Proben herausgenommen und in ihnen der Schwefelgehalt bestimmt:

Konzentration von S_2Cl_2	in 100 ccm g	S gef. %	S theoret. %
1	0,0125	0,17	0,16
2	0,025	0,21	0,22
3	0,0375	0,25	0,28
4	0,05	0,36	0,32
5	0,075	0,41	0,39
6	0,1	0,45	0,45

Die Schwefelgehalte liegen jetzt schon nicht auf einer Geraden; die theoretischen Werte der Parabelkurve in der einfachen Form $\dfrac{K^2}{K_1}$ = konst. (das Mittel aus vier Bestimmungen ergibt für den Exponent $n = 1,97$) unterscheiden sich von den gefundenen um geringe Werte, die in den Fehlergrenzen liegen.

Die Adsorptionsgleichung verlangt ferner, daß der Prozeß unabhängig von den absoluten Mengen der Substanzen verläuft, da die Konzentration allein ausschlaggebend ist. Es hat sich auch erwiesen, daß sich auch bei der Kaltvulkanisation das Gleichgewicht unabhängig von absoluten Mengen einstellt, denn nach zwei Stunden

0,5 g Kautschuk in 100 ccm (= 0,1 g S_2Cl_2) S geh. 0,45
0,5 g Kautschuk in 200 ccm (= 0,2 g S_2Cl_2) S geh. 0,47
1 g Kautschuk in 100 ccm (= 0,1 g S_2Cl_2) S geh. 0,5

Der Chlorschwefel wird als solcher adsorbiert, denn die Gehalte an

Chlor entsprechen den Schwefelgehalten, z. B. eine Probe enthielt S = 1,39%, Cl = 1,31 (Theorie 1,5), daraus erklären sich die chemischen Verbindungen von C. O. Weber.

Nach allen diesen Versuchen wäre vielleicht die Frage berechtigt, ob man nicht auch mit Lösungen von Schwefel allein vulkanisieren könnte. In Wirklichkeit kommt eine solche Vulkanisation aber nicht zustande. Die Erklärung dafür wäre, daß ja nach der Adsorptionstheorie nur solche Stoffe adsorbiert werden, welche die Oberflächenspannung des Lösungsmittels erniedrigen. Ein grober Versuch zeigte, daß etwa 1 g S gelöst in 100 ccm Benzol die Oberflächenspannung eher etwas erhöht, dieselbe Menge S_2Cl_2 sie erniedrigt.

Vergleicht man die Steighöhen der betreffenden Lösungen mit reinem Benzol in derselben Capillare bei derselben Temperatur, so sind

S + Benzol . . . . Steighöhe 7,6 cm
Benzol allein . . . ,, 7,5 cm
S_2Cl_2 + Benzol . . ,, 7,0 cm.

Daher ist es klar, daß S_2Cl_2 adsorbiert werden muß. Würde man ein Lösungsmittel finden für Kautschuk und Schwefel, dessen Oberflächenspannung durch Schwefel erniedrigt wird, so wird auch der Schwefel darin vulkanisierend wirken.

Wo. Ostwald machte weiter darauf aufmerksam, daß zwischen den beiden Arbeiten von W. Hinrichsen und E. Kindscher und B. Bysow insofern ein Widerspruch besteht, als nach Bysow die Kaltvulkanisation ausschließlich auf Adsorption zurückzuführen sei, während nach Hinrichsen und Kindscher auch mit der Existenz einer bestimmten Verbindung zu rechnen ist. Trotz der großen Verschiedenheit der Versuchsbedingungen, die in beiden Arbeiten angewandt wurden, glaubt Ostwald doch in folgender Weise den erwähnten Widerspruch beseitigen zu können: unter Berücksichtigung der angewandten Konzentration des Schwefelchlorürs (Bysow benutzte verdünnte Lösungen von 0,0125% bis 0,1% Gehalt, während Hinrichse n und Kindscher solche von 1,237—2,362% ver-

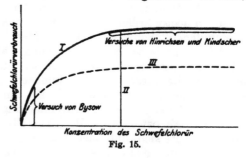

Fig. 15.

wendeten), lassen sich die sämtlichen Versuche in einer einzigen Kurve wiedergeben, wenn man die Menge des aufgenommenen Schwefelchlorürs in Abhängigkeit von der angewandten Konzentration aufträgt. Die Gestalt der Kurve entspricht somit der typischen Adsorptionskurve. Die Größe der von Hinrichsen und Kindscher angewandten Konzentrationen bewirkt, daß entsprechend dem letzten assymptotisch verlaufenden Teile der Kurve der Schwefelchlorürverbrauch annähernd konstant ist. Daß der Verbrauch gleichzeitig stöchiometrisch deutbar ist, wäre demnach nur ein Zufall.

So einleuchtend nun auch die Annahme Ostwalds erscheint, und wenn auch sicherlich Adsorptionserscheinungen bei der Vulkanisation eine hervorragende Rolle spielen, so sprechen doch auch gewichtige Gründe gegen die Auffassung, daß hierbei ausschließlich Adsorptionsvorgänge und nicht auch chemische Umsetzungen eintreten. W. Hinrichsen faßt seine Gegengründe wie folgt zusammen:

1. Wie aus den Versuchen Freundlichs hervorgeht, handelt es sich bei der Adsorption stets um einen Gleichgewichtszustand, der von beiden Seiten her erreicht werden kann. Man müßte demnach erwarten, daß auch die Schwefelchlorür- bzw. Schwefelaufnahme des Kautschuks, wenn es sich lediglich um Adsorption handeln würde, ohne weiteres umkehrbar sein müßte. Dieser Vorgang ist jedenfalls nur äußerst schwierig zu erreichen. Die Mehrzahl der praktischen Kautschukchemiker sieht die vollständige Entschwefelung des einmal vulkanisierten Kautschuks geradezu als unlösbares Problem an. Wenn auch diese Anschauung vielleicht nicht ganz zu Recht besteht, so ist doch jedenfalls die Entfernung des Schwefels aus vulkanisiertem Kautschuk, besonders Hartgummi, so schwierig, daß die Annahme eines Adsorptionsgleichgewichtes zur Erklärung der gesamten Vulkanisationserscheinungen zum mindesten gewagt erscheinen muß. Denn derartige Gleichgewichte sind gerade durch besondere Schnelligkeit der Einstellung gekennzeichnet.

2. In der Regel bleiben bei Adsorptionen die chemischen und physikalischen Eigenschaften des adsorbierenden und absorbierten Stoffes auch im Adsorptionsgewicht bestehen. Der Kautschuk erleidet aber bei der Vulkanisation (z. B. Hartgummi) so durchgreifende Veränderungen, wie sie sonst nur bei chemischen Umsetzungen bekannt sind. So wird der Schwefel zum Teil unlöslich in den gewöhnlichen Lösungsmitteln wie z. B. Aceton, so daß man in der Kautschukanalyse unmittelbar zwischen acetonlöslichem „freiem" Schwefel und dem acetonunlöslichen „gebundenen" Schwefel unterscheidet.

Allerdings lassen sich wohl auch Fälle anführen, bei denen ebenfalls Veränderungen des adsorbierten Stoffes in seinem gesamten Verhalten nachgewiesen werden konnten, trotzdem augenscheinlich Adsorption vorlag. Es handelt sich hier um Beobachtungen, die Freundlich und Losev bei der Untersuchung der Adsorption von gelösten basischen Farbstoffen, z. B. Krystallviolett, durch Kohle machten. Hierbei zeigte sich, daß nach Einstellung des Gleichgewichts der auf der Oberfläche der Kohle adsorbierte Farbstoff durch reines Wasser nicht mehr auswaschbar war. Aber in diesem Falle war, wie die genannten Autoren feststellen konnten, nicht nur Adsorption, sondern gleichzeitig auch chemische Umsetzung eingetreten. Das im Krystallviolett vorliegende Salz hatte nämlich quantitativ die in ihm enthaltene Säure (Salzsäure) an die wässerige Lösung abgegeben und nur die Farbbase war von der Kohle adsorbiert worden. Da die Base selbst in reinem Wasser nicht löslich war, so konnte sie auch naturgemäß durch das Wasser nicht entfernt werden. Ersetzte man das letztere aber durch ein geeignetes organisches Lösungsmittel oder durch eine Säure, so ging augenblicklich die Farbstoffbase zum Teil wieder in die Lösung über.

3. Vor allem spricht aber zugunsten der Bildung einer chemischen Verbindung bei der Vulkanisation der Umstand, daß der Vulkanisationsschwefel quantitativ in Derivate wie das Bromid oder Nitrosat übergeht. Da diese Derivate zum Teil aus Lösungen von vulkanisiertem Kautschuk gefällt werden, z. B. bei der Kautschukbestimmung als Bromid nach A x e l r o d, so müßte man doch annehmen, daß durch den Lösungsvorgang das ursprüngliche Adsorptionsgleichgewicht zwischen festem Kautschuk und Schwefel gestört wäre.

4. Die Annahme einer bestimmten chemischen Verbindung, z. B. zwischen Schwefelchlorür und Kautschuk, erscheint um so plausibler, als ja auch andere wohldefinierte Verbindungen des Kautschuks, z. B. das Tetrabromid, mit Sicherheit bekannt sind.

5. Endlich sei noch hervorgehoben, daß der Versuch O s t w a l d s, die von B y s o w sowie von H i n r i c h s e n und K i n d s c h e r erhaltenen Ergebnisse in einer einzigen Schaulinie zusammenzufassen, immerhin bedenklich erscheint. Bei den Versuchen B y s o w s handelt es sich um das Eintauchen festen Kautschuks in sehr verdünnte Schwefelchlorürlösungen, bei der Untersuchung von H i n r i c h s e n und K i n d s c h e r dagegen um die Fällung eines Niederschlages bei der Einwirkung von gelöstem Schwefelchlorür auf Kautschuklösung. Versuche haben ergeben, daß nun unter den von H i n r i c h s e n und K i n d s c h e r innegehaltenen Versuchsbedingungen bei der Anwendung verdünnterer Lösungen von Schwefelchlorür, als der zur Bildung der Verbindung $(C_{10}H_{16})_2S_2Cl_2$ notwendigen Menge entspricht, überhaupt keine Bildung eines Niederschlages stattfindet. Vielmehr bleiben die Lösungen bei Ausschluß jeglicher Feuchtigkeit auch nach wochenlangem Stehen vollkommen klar. Man erhält also für die Abhängigkeit des Schwefelchlorürverbrauches von der angewandten Schwefelchlorürkonzentration eine Linie, wie sie durch die Gerade II in der Skizze wiedergegeben ist. Die hier gefundene Form der Kurve ist aber charakteristisch für die Bildung einer chemischen Verbindung.

Auch noch auf einem anderen Wege läßt sich mit Sicherheit entscheiden, ob die von H i n r i c h s e n und K i n d s c h e r beobachtete Konstanz des Schwefelchlorürverbrauchs von der Bildung einer Verbindung herrührt oder durch die Form der Adsorptionskurve in ihrem letzten assymptotisch verlaufenden Teile bedingt wird. Falls nämlich das Zusammenfallen des Verhältnisses zwischen Schwefelchlorür und Kautschuk mit den stöchiometrisch verlangten Zahlen nur auf Zufall beruht, müßte die Kurve bei Anwendung anderer Konzentrationsverhältnisse einen anderen Verlauf nehmen als bei den beschriebenen Versuchen. Wenn z. B. die Kurve I die Adsorptionskurve nach O s t w a l d wiedergibt, so müßte man erwarten, daß z. B. bei Anwendung verdünnterer Lösungen man eine neue Kurve III erhalten würde, für welche das Verhältnis zwischen Schwefelchlorür und Kautschuk im konstanten Teile ein anderes sein müßte als in dem ersteren Falle.

W. Hinrichsen stellt sich den Verlauf der Reaktion so vor, daß
bei der Vulkanisation zunächst rein oberflächliche Adsorption des vulkanisierenden Mittels erfolgt und in zweiter Linie sodann die chemische
Bindung der adsorbierten Stoffe vor sich geht. Die Geschwindigkeit
der chemischen Umsetzung muß naturgemäß in hohem Grade von den
äußeren Versuchsbedingungen (Konzentration des Schwefels bzw.
Schwefelchlorürs, Druck und besonders Temperatur) abhängen. Bei
der in der Technik angewandten Temperatur der Heißvulkanisation
(130° und höher) dürfte die Geschwindigkeit der chemischen Reaktion
zwischen Kautschuk und Schwefel so groß sein, daß innerhalb der angewandten Zeit (z. B. von einer Stunde) schon merkliche Mengen Schwefel
in chemische Bindung übergegangen sein können.

Wenn diese Anschauung richtig ist, so muß man erwarten, daß der
zweite Teil der Reaktion, die chemische Bindung des Schwefels, nicht
nur bei den in der Technik benutzten Temperaturen der Heißvulkanisation, sondern bei jeder beliebigen Temperatur stattfinden muß. Nur
wird naturgemäß die Reaktionsgeschwindigkeit um so kleiner sein,
je niedriger die angewandte Temperatur ist. Macht man die Annahme,
daß der freie Schwefel dem nur adsorbierten Anteile entspricht — da
Adsorptionen nach dem früher Gesagten umkehrbar sind, muß ja der
nur adsorbierte Schwefel bei erschöpfender Behandlung mit einem
Lösungsmittel (Aceton) dem Kautschuk vollständig entzogen werden
können —, so müßte sich chemisch die genannte Reaktion dadurch nachweisen lassen, daß die Menge des freien Schwefels mit der Zeit ab-, die
des gebundenen Schwefels zunähme.

Tatsächlich sind nun Vorgänge bekannt, welche auf eine solche
Verschiebung des ursprünglichen Gleichgewichts mit der Zeit zugunsten
des gebundenen Schwefels hindeuten. Es handelt sich hierbei um die
jedem Kautschuktechniker bekannten Erscheinungen der „Nachvulkanisation".

Einfluß der Lagerung von Kautschuk auf den Gehalt an
gebundenem Schwefel.

Nr. des Ver- suchs	Art der Lagerung	Gesamt- schwefel %	Freier Schwefel %	Gebundener Schwefel %
1	Einlieferungszustand	9,0	4,5	4,5
2	¹/₂ Jahr bei Zimmertemperatur dunkel und feucht aufbewahrt	8,9	4,3	4,6 (4,6)
3	¹/₂ Jahr bei Zimmerwärme dunkel und trocken aufbewahrt	9,0	4,1	4,9 (4,7)
4	¹/₂ Jahr auf dem Dache des Amtes auf- bewahrt	8,4	2,3	6,1
5	¹/₂ Jahr bei etwa 70° C dunkel und feucht aufbewahrt	8,5	2,0	6,5
6	¹/₂ Jahr bei etwa 70° C dunkel und trocken aufbewahrt	8,6	1,1	7,5

Eine weitere Versuchsreihe, die von R. Bernhardi-Grisson und
E. Kindscher bei 80—90° unter Anwendung eines anderen ebenfalls

nur aus Kautschuk und Schwefel zusammengesetzten Materials durchgeführt wurde, zeigte, daß bei dieser etwas erhöhteren Temperatur schon im Verlaufe weniger Tage die gleiche Erscheinung beobachtet werden konnte.

Zunahme des gebundenen Schwefels bei trockener dunkler Lagerung des Kautschuks bei 80—90⁰ C.

Nr. des Versuchs	Dauer des Lagerns Tage	Gesamtschwefel %	Freier Schwefel %	Gebundener Schwefel %
1	0	6,4	4,7	1,7 (1,7)
2	1	[5,9]	4,7	[1,2]
3	2	6,6	4,5	2,1
4	5	6,4	4,6	1,8
5	10	6,7	3,5	3,2
6	20	6,4	1,9	4,5

D. Spence und J. H. Scott wenden gegen die physikalisch-chemische Theorie ein, daß regenerierter, aber nicht devulkanisierter Kautschuk bei der Vulkanisation denselben Betrag an Schwefel braucht und sich mit derselben Menge verbindet, als er es ursprünglich tat.

Probe regenerierter Kautschuk	„Gebundener" Schwefel im Kautschuk vor der Revulkanisation %	„Gebundener" Schwefel im Kautschuk nach der Revulkanisation %
a)	2,72	5,75
b)	2,59	5,48

Selbst wenn man hier annimmt, daß beim Regenerationsprozeß der Verteilungsgrad der dispersen Phase gewachsen ist, scheint es doch unwahrscheinlich, daß bei der Zunahme der absoluten Oberfläche des Adsorbens die Adsorptionskraft mehr als verdoppelt wird und daß dieses Adsorptionsvermögen fort und fort wachsen kann, bis schließlich der ursprüngliche Kautschuk mehr als $1/5$ seines Gewichtes an Schwefel adsorbiert hat. Das Adsorptionsvermögen ist nicht an solche Konzentrationsverhältnisse des adsorbierten und adsorbierenden Mittels gebunden, als dies bei der Bildung von Ebonit aus Kautschuk und Schwefel der Fall ist.

Ein noch wesentlicher Einwand gegen die physikalisch-chemische Vulkanisationstheorie liegt in dem Verhalten von vulkanisiertem Kautschuk zu Brom vor. Bei sorgfältiger Bromierung von nur weich vulkanisiertem Kautschuk erreicht die Menge von Brom, die bei Anwesenheit einer bestimmten Menge von Vulkanisationsschwefel von dem Kautschuk aufgenommen wird, fast den theoretisch für ein Normaltetrabromid notwendigen Betrag. Bei der Bromierung von vulkanisiertem Kautschuk ergibt sich, kurz gesagt, unzweifelhaft eine stöchiometrische Beziehung zwischen Schwefel und Brom, wobei $S = Br_2$ ist und die Bromierungsfähigkeit von vulkanisiertem Kautschuk sich gerade auf sein Äquivalent an Vulkanisationsschwefel zurückführen läßt. Da die Natur der Veränderung, die bei der Bromierung des ungesättigten Kohlenwasserstoffes vor sich geht, unzweifelhaft in der Addition von Brom zu den ungesättigten Bindungen des Kohlenwasserstoffes besteht, so hat es den Anschein, daß die Vulkanisation in der Sättigung der Doppelbindungen des Kohlenwasserstoffes durch Schwefel, die bei der Verwendung von weich vulkanisiertem Kautschuk unvollständig ist, besteht. Jedenfalls ist es schwer für die stöchiometrischen Beziehungen, einen genügenden Grund in einer physikalisch-chemischen Adsorptionstheorie des sog. gebundenen Vulkanisationsschwefels aufzustellen.

Art der bromierten Probe	Brom gefunden im Schwefelbromid %	Schwefel gefunden im Schwefelbromid %
Vulkanisierter Kautschuk (enthielt bei der Analyse 2,36 % gebundenen Schwefel vor der Bromierung)	a) 66,04 b) 65,99 Mittel = 66,02	a) 0,74 b) 0,74 Mittel = 0,74

Andererseits erscheint es nach dem Resultat von Beobachtungen über die „Adsorptionskraft" des Kautschuks für verschiedene Substanzen, mehr als wahrscheinlich, daß die Adsorption im Vulkanisationsprozesse eine Rolle spielen muß. Es wäre in der Tat auch seltsam, wenn der Kautschuk in dieser Hinsicht eine Ausnahme von dem allgemeinen Verhalten anderer gleich genau definierter Kolloide machen wollte. Diese Adsorption findet eher an dem sog. freien Schwefel, als an dem gebundenen Schwefel, wie Wo. Ostwald und andere Experimentatoren meinen, statt.

Für praktische Zwecke ist es beinahe unmöglich, die letzten Reste des freien Schwefels aus Kautschuk mittels kochenden Acetons auszuziehen. Bei der Extraktionsmethode, wie sie bei der Analyse von Kautschukmaterial ausgeführt wird, wo bei höchstens 24 Stunden erst die Extraktion vollendet ist, sind noch ganz beträchtliche Mengen von extraktionsfähigem Schwefel vorhanden.

Nummer der Probe	Dauer der Extraktion	Extrahierter Schwefel %	Total extrahiert. Schwefel %
1	2 Tage	5,31	5.31
2	2 „	0,013	5,323
3	2 „	0,0083	5,331
4	2 „	0,0088	5,34
5	2 „	0,004	5,344
6	2 „	0,0059	5,35
7	2 „	0,005	5,355
8	2 „	0,006	5,361
9	2 „	0,0049	5,366
10	2 „	0,0044	5,37
11	10 „	0,0196	5,39

Nr. der Probe	Zeitintervall	Totale Zeit	Extrahierter Schwefel in Gewicht g	Extrahierter Schwefel %	Total extrahierter S ermittelt aus der Durchschnittskurve %
1	1½ Std.	1½ Std.	4,42	2,21	2,21
2	3 ,,	4½ ,,	3,197	1,6	3,81
3	3 ,,	7½ ,,	1,53	0,76	4,57
4	6 ,,	13½ ,,	0,793	0,4	4,97
5	8 ,,	21½ ,,	0,3497	0,18	5,17
6	16 ,,	37½ ,,	0,362	0,181	5,27
7	16 ,,	53½ ,,	0,1113	0,055	5,325
8	32 ,,	85½ ,,	0,0824	0,041	5,366
9	64 ,,	149½ ,,	0,0496	0,025	5,391
			Summe: 5,452		

Aus den Tabellen ist ersichtlich, daß Aceton noch kleine Schwefelquantitäten nach zehntägiger kontinuierlicher Extraktion von vulkanisiertem Kautschuk im Soxhlet enthält. Die Bedeutung dieser Tatsachen ist klar. D. Spence und J. H. Scott verfolgten den Extraktionsprozeß durch quantitative Methoden.

Die Experimente in dieser Richtung ergaben, daß, abgesehen von der auffallend langsamen Art der Extraktion des freien Schwefels durch Aceton und der Unmöglichkeit der Extraktion der letzten Schwefelspuren durch dieses Mittel, der Extraktionsprozeß einen ganz bestimmten Verlauf nimmt, in jeder Beziehung ähnlich jenem bei der Extraktion von Elektrolyten aus Gelatine und Wasser. Der hyperbolische Verlauf der Kurven ist derjenige einer typischen Adsorption.

Wo ein großer Überschuß von Schwefel in der extrahierten Probe vorhanden war, ist die Durchschnittskurve der Extraktion von freiem Schwefel praktisch eine gerade Linie; bei kleineren Konzentrationen nimmt sie die Form einer Adsorptionsisotherme an. Die Adsorptionskurven, die bei der Extraktion von freiem Schwefel aus vulkanisiertem Kautschuk erhalten wurden, zeigen in keinem Falle Anzeichen eines Überganges in den „gebundenen" Schwefelzustand, und dies zusammen mit dem Verhalten von vulkanisiertem Kautschuk zu Brom und Alkali scheint den Schluß zu rechtfertigen, daß es eine vollständig bestimmte Grenze zwischen dem gebundenen Vulkanisationsschwefel und dem sog. freien Schwefel gibt.

D. Spence und J. H. Scott glauben zu folgenden Schlüssen kommen zu können:

1. daß der gebundene Vulkanisationsschwefel chemisch mit dem Kautschuk verbunden ist und nicht nur von ihm adsorbiert ist;

2. daß eine Schwefeladsorption bei der Vulkanisation stattfindet, daß aber diese Adsorption auf den sog. freien Schwefel beschränkt ist, eher als auf den gebundenen Schwefel, wie andere Forscher behauptet haben;

3. daß der sog. freie Vulkanisationsschwefel in Wirklichkeit aus adsorbiertem Schwefel und einer größeren oder geringeren Menge von „freiem" Schwefel, die von den Vulkanisationsbedingungen abhängt, besteht.

Die Adsorption des freien Schwefels durch die disperse Phase des Kautschuks erweist sich immerhin als eine der Stufen, die zu der nach-

folgenden chemischen Reaktion führen, und zwar als eine wesentliche
Stufe dieser Reaktion.

In einer weiteren Arbeit gelang es D. Spence und J. H. Scott die
interessante Tatsache festzustellen, daß sich bei der Extraktion von
vulkanisiertem Kautschuk mit Aceton (die Probe enthielt 8,01% Gesamtschwefel und 2,68% nach der Acetonextraktion) auch bei kurzer
Extraktionsdauer ein Gleichgewicht zwischen dem im Kautschuk zurück-
bleibenden, adsorbierten und dem im siedenden Aceton gelösten Schwefel
einstellt. Die erhaltenen Kurven sind typische Adsorptionskurven.

Bei der graphischen Darstellung der Ergebnisse der Extraktion
eines Musters von vulkanisiertem Kautschuk, das mittels großen Schwefelüberschusses hergestellt worden war (22,73% Gesamtschwefel, 5,21%
Schwefel nach der Acetonextraktion), bildeten die ersten vier Werte,
die bei 30 Minuten langem Extrahieren von 10 g Kautschuk mit je
135 ccm getrockneten Acetons erhalten wurden, eine fast genau hori-
zontale Gerade (Kurve des freien Schwefels). Hinter dem vierten Punkte
fällt die Kurve nach und nach zunächst langsam, schließlich aber plötzlich
ab und zeigt alle Charakteristika einer typischen Adsorptionsisotherme.

Der Zustand des Materials und der Grad seiner Zerteilung scheint
beim vulkanisierten Kautschuk sehr wenig Einfluß auf die Extraktionsdauer zu haben. Die Extraktionsgeschwindigkeit wird fast vollständig
durch den Gleichgewichtscharakter des Extraktionsprozesses bestimmt.

Bei drei Versuchsreihen mit einem Gemenge aus Parakautschuk und
Schwefel mit 13,14% Gesamtschwefelgehalt, bei denen das Material im
unvulkanisierten Zustande, sowie nach 2- und nach 2½stündiger Vulkanisation mit gespanntem Dampf der Extraktion unterworfen wurde,
konnten bedeutende Unterschiede im Verlauf der Kurven des nicht
vulkanisierten und des vulkanisierten Produktes festgestellt werden.
Bei dem nicht vulkanisierten Material verläuft die Kurve vollkommen
gleichmäßig und weist in ihrer Bahn keinerlei Knicke auf. In dem
ersten Teil dieser Kurve ist der Betrag an extrahiertem Schwefel geringer,
als in dem entsprechenden Abschnitt des vulkanisierten Produktes, und
der Gesamtbetrag an extrahiertem Schwefel im Zeitintervall weist bei
den späteren Werten eine anhaltende Verminderung auf. Die Ursache
für dieses Verhalten ist wahrscheinlich darin zu suchen, daß im Gegensatz zum vulkanisierten Produkte, das auch bei längerer Behandlung mit
siedendem Aceton seine Form beibehält, das nicht vulkanisierte Produkt
bei der Behandlung mit siedendem Lösungsmittel weich wird, nach und
nach zusammenfließt und dadurch der Extraktion einen größeren mechanischen Widerstand entgegensetzt. Bei dem durch 2stündiges Erhitzen vulkanisierten Produkt zeigt die Kurve dieselbe allgemeine Form,
wie bei den früheren Versuchsreihen. Bei der 2½ Stunden vulkanisierten Probe dagegen zeigt sich insofern ein merklicher Unterschied, als die
Kurve des freien Schwefels durch die weitere halbe Stunde Vulkanisationsdauer beinahe ausgelöscht ist, während die Adsorptionskurve gut mit der
des nur 2 Stunden lang vulkanisierten Musters zusammenfällt. Auch hat
sich der Betrag des in chemische Bindung eingetretenen Schwefels erhöht.

Außerdem konstruierte D. Spence die Schwefelextraktionskurve eines Musters von völlig vulkanisiertem Ebonit und gelangte aus ihr zur Annahme einer langsamen Adsorptionsverminderung bei Erhöhung des Vulkanisationsgrades. Ein Muster Südkamerunkautschuk wurde zur Entharzung mittels Aceton extrahiert und mit 55% seines Gewichtes an Schwefel gemischt. Darauf wurden aus diesem Material Scheiben harten Kautschuks durch dreistündige Vulkanisation bei einem Dampfdruck von 2,8 Atmosphären hergestellt.

Die Ergebnisse von 12 aufeinanderfolgenden Extraktionen sind in der folgenden Tabelle registriert:

Nummer der Fraktion	Gewicht des BaSO₄ g	Ertrahierter Schwefel %	Gesamter extrahierter Schwefel der Durchschnittskurve %
1	0,4869	1,20	1,20
2	0,2642	0,65	1,85
3	0,1756	0,43	2,28
4	0,1121	0,28	2,56
5	0,0729	0,18	2,74
6	0,0614	0,15	2,87
7	0,0472	0,116	2,97
8	0,0315	0,078	3,058
9	0,0225	0,055	3,108
10	0,0201	0,05	3,158
11	0,0188	0,046	3,204
12	0,0150	0,037	3,241

Gesamter extrahierter Schwefel = 3,24%.

Die Schwefelextraktionskurve für Ebonit weicht bemerkenswert ab von der für weichen Kautschuk.

F. W. Hinrichsen und E. Kindscher machten im weiteren Versuche über die Entschwefelung von vulkanisiertem Kautschuk. Bisher galt es als feststehend, daß es unmöglich sei, den chemisch gebundenen Schwefel aus vulkanisiertem Kautschuk wieder zu entfernen, ohne daß dabei das Kautschukmolekül völlig zerstört wird. W. Hinrichsen und E. Kindscher stellen sich in Gegensatz zu dieser herrschenden Auffassung und sind der Ansicht, daß der Prozeß reversibel ist, was sie experimentell zu begründen versuchen. Um den freien Schwefel herauszubekommen, kochten sie den vulkanisierten Kautschuk mit alkoholischer Natronlauge und setzten metallisches Kupfer zu, das sie unmittelbar in die alkalische Flüssigkeit eintrugen. Nach kurzer Zeit trat merkliche Schwärzung des Kupfers unter Bildung von Schwefelkupfer ein und dementsprechend sank der Schwefelgehalt mehr und mehr. Bei anhaltendem mehrtägigen Kochen am Rückflußkühler gelang es schließlich, ein Produkt zu erhalten, das überhaupt keinen Schwefel mehr aufwies. Es ergab sich das überraschende Resultat, daß es bei gleichzeitiger Einwirkung von Metall und alkoholischer Natronlauge möglich war, aus kalt vulkanisiertem Kautschuk bzw. aus der höchsten Verbindungsstufe, welche Schwefelchlorür mit Kautschuk zu bilden vermag, den Schwefel vollkommen zu entfernen.

W. Hinrichsen und E. Kindscher wandten nun die gleiche Reaktion auch auf heißvulkanisierte Materialien an.

20 g des vulkanisierten Kautschukmaterials wurden mit $1^1/_2$ Litern Benzol und $^1/_2$ Liter alkoholischer Natronlauge bei Gegenwart eines Stückes metallischen Zinks (technisch nicht rein) im Autoklaven erhitzt. Bei diesen Versuchen ging der Kautschuk stets in Lösung. Die Kautschuklösung wurde von dem Zink und dem gebildeten Schlamm abgegossen und der Kautschuk mit Alkohol abgeschieden. Hierbei ergaben sich folgende Zahlen:

Druck 6 Atmosphären, Temperatur 127° C, Konzentration der NaOH $^1/_4$-normal.

Dauer des Versuchs Stunden	Schwefel im extrahierten Material %		Asche %	
1	$2,6_1$	$2,7_5$	nicht bestimmt	
2	$2,0_6$	$1,9_8$	$3,0_8$	$3,1_0$
3	$2,1_2$	$2,4_7$	$8,0_4$	$8,4_4$
4	$2,4_2$	$2,4_4$	$6,1_3$	$6,4_3$
5	$2,5_1$	$2,4_6$	$6,7_2$	$6,8_0$
6	$2,1_8$	$2,2_5$	$4,9_6$	$4,7_6$
10	$2,0_6$	$2,0_3$	$4,2_7$	$4,2_7$

In sämtlichen Fällen trat also eine merkliche Verminderung des gebundenen Schwefels (Anfangswert 3,6%) ein. Nach diesem Verfahren ist es also im Gegensatz zu sämtlichen bisher in der Literatur beschriebenen Arbeitsweisen in der Tat möglich, auch den gebundenen Schwefel aus heißvulkanisierten Kautschukmaterialien wenigstens zum großen Teile zu entfernen. Zwischen dem Gehalt des gewonnenen Produktes an gebundenem Schwefel und der Asche besteht anscheinend eine enge Beziehung. Je größer der Aschengehalt, um so größer ist in der Regel auch der Gehalt an gebundenem Schwefel.

Die nach dem angeführten Verfahren erhaltenen Produkte stehen in ihren Eigenschaften dem Rohkautschuk erheblich näher als dem vulkanisierten Kautschuk. Sie lassen sich leicht auf der Walze verarbeiten, quellen fast vollständig in Benzol und werden beim Ausziehen mit Aceton zum Teil in der Wärme leimig, ein Verhalten, wie es auch bei entharztem Rohkautschuk häufig zu beobachten ist.

Gegen die Arbeit von W. Hinrichsen und E. Kindscher wendet sich P. Alexander und meint, daß aus den Ergebnissen dieser Versuche nur der Schluß gezogen werden kann, daß es den Verfassern nicht gelungen ist, den gebundenen Schwefel aus dem für die Versuche benutzten Kautschukmaterial zu entfernen. Ob die beschriebene Behandlungsweise tatsächlich, wie die Verfasser annehmen, eine Minderung des chemisch gebundenen Schwefels bewirkt hat, darüber läßt sich keine Entscheidung treffen, weil keinerlei Beweismaterial dafür beigebracht worden ist, daß der dem Material entzogene Schwefel unbedingt als gebundener Schwefel angesehen werden muß und weder mechanisch beigemengter, noch adsorbierter Schwefel sein kann. F. W. Hinrichsen und E. Kindscher bestimmten den gebundenen Schwefel aus der Differenz zwischen dem Gesamtschwefel und dem mit Aceton extrahierten Schwefel. Über die Zeitdauer der Extraktion mit Aceton werden keine Angaben gemacht, auch ist nicht zu ersehen, ob und wie nachgewiesen worden ist, daß tatsächlich der extrahierbare Schwefel vollkommen entfernt worden ist. Die Versuchsergebnisse von F. W. Hinrichsen und E. Kindscher lassen sich ungezwungen durch die Annahme erklären, daß die von ihnen untersuchte Kautschukprobe weniger chemisch gebundenen Schwefel enthielt, als sie aus dem Schwefelgehalt des Acetonextraktes geschlossen haben.

Wenn nachgewiesen werden soll, daß eine Umkehrung der chemischen Reaktion zwischen Schwefel und Kautschuk nicht nur theoretisch möglich, sondern auch praktisch durchführbar ist, dann müßte von dem an gebundenem Schwefel reichsten Material, d. h. vom Hartkautschuk, ausgegangen werden.

D. Spence untersuchte im weiteren den Einfluß niedriger Temperaturen auf die Geschwindigkeit der Heißvulkanisation und auf die Nachvulkanisation. Er gelangte zu der Erkenntnis, daß sich die gewöhnlichen Mischungen Temperaturen gegenüber, welche bedeutend höher sind als die Lufttemperatur, sehr indifferent verhalten. Spence ist es nie gelungen, eine meßbare Vulkanisation festzustellen. Spence will feststellen, daß freiwillige Vulkanisation oder Nachvulkanisation von Kautschuk bei gewöhnlicher Temperatur, wie sie von vielen anderen Forschern beobachtet worden ist, nur in unrichtig gewählten oder übervulkanisierten Mischungen vorkommen. In solchen Proben ist eine Zunahme von nicht extrahierbarem Schwefel wahrnehmbar, was jedoch auf Zersetzung der Proben zurückzuführen ist. In einer aus Parakautschuk und Schwefel hergestellten und richtig vulkanisierten Probe hat Spence nach sechsjährigem Lagern praktisch den gleichen Gehalt an gebundenem Schwefel festgestellt als die Probe anfänglich enthielt.

Aus diesen Betrachtungen geht hervor, daß die Ausdehnung einer bei Temperaturen unterhalb der gebräuchlichen Vulkanisationstemperaturen stattfindenden Vulkanisation jedenfalls bedeutend überschätzt worden ist.

Änderung im Gesamtschwefel und gebundenem Schwefel bei der Autovulkanisation. Schnell sich zersetzende Mischung.

Experimental-bedingungen:	Unvulkanisiert			Unter-vulkanisiert			Normal-vulkanisiert			Über-vulkanisiert		
	Gesamt-schwefel %	Gebundener Schwefel %	Zunahme d. gebund. Schwefels	Gesamt-schwefel %	Gebundener Schwefel %	Zunahme d. gebund. Schwefels	Gesamt-schwefel %	Gebundener Schwefel %	Zunahme d. gebund. Schwefels	Gesamt-schwefel %	Gebundener Schwefel %	Zunahme d. gebund. Schwefels
Originalwerte	8,88	Null	—	8,53	3,05	—	8,60	4,32	—	8,46	5,91	—
Probe in der Dunkelkammer (3 Monate) .... (a)	8,45	0,05	0,05	8,43	3,71	0,66	8,51	5,01	0,69	8,52	6,56	0,65
Probe dem Sonnenlicht ausgesetzt (3 Monate) .. (b)	7,84	0,07	0,07	7,95	3,64	0,59	7,64	4,94	0,62	7,53	6,50	0,59
Probe im Thermostat (3 Monate, 40° C) (c)	8,30	0,11	0,11	8,40	4,14	1,09	8,47	5,46	1,14	8,29	7,02	1,11

Änderung im Gesamtschwefel und gebundenem Schwefel bei der Autovulkanisation.
Sich nicht zersetzende Mischung.

Experimental-bedingungen:	Unvulkanisiert			Unter-vulkanisiert			Normal-vulkanisiert			Über-vulkanisiert		
	Gesamt-schwefel %	Gebundener Schwefel %	Zunahme d. gebund. Schwefels	Gesamt-schwefel %	Gebundener Schwefel %	Zunahme d. gebund. Schwefels	Gesamt-schwefel %	Gebundener Schwefel %	Zunahme d. gebund. Schwefels	Gesamt-schwefel %	Gebundener Schwefel %	Zunahme d. gebund. Schwefels
Originalwerte	8,93	0,193	—	9,01	0,876	—	9,06	2,502	—	8,99	3,353	—
Probe in der Dunkelkammer (3 Monate) .... (a)	8,64	0,205	0,01	8,80	0,969	0,093	8,77	2,615	0,113	8,77	3,741	0,388
Probe dem Sonnenlicht ausgesetzt (3 Monate) .. (b)	8,62	0,244	0,051	8,63	0,901	0,025	8,69	2,539	0,037	8,69	3,62	0,267
Probe im Thermostat (3 Monate, 40° C) (c)	8,71	0,350	0,157	8,71	1,086	0,21	8,82	2,801	0,299	8,72	3,888	0,535

Ganz anders dagegen waren die Ergebnisse einer anderen Mischung, in der sich Zersetzung einstellte. Eine Nachvulkanisation war hier am wenigsten zu erwarten, da die Vulkanisationsgeschwindigkeit dieser Mischung klein war. Dennoch war gerade hier eine meßbare, in einigen Fällen sogar bedeutende Zunahme in der Menge des nicht extrahierbaren Schwefels wahrzunehmen. Diese Zunahme war unbedeutend in unvulkanisierten Proben und am ausgesprochensten in den Proben, die einer Temperatur von 40° C ausgesetzt waren. Auf den ersten Blick erscheinen diese Resultate merkwürdig, bei näherer Betrachtung stellt sich jedoch heraus, daß sich alle diese Proben, mit Ausnahme des unvulkanisierten Materials, im Zustande erheblicher Zersetzung befanden. Dies wurde durch mechanische und andere Versuche bestätigt und kommt auch zum Ausdruck bei einem Vergleiche des Harzgehaltes der verschiedenen Proben.

Aus obigem ist leicht ersichtlich, daß wenn etwas Praktisches erreicht werden soll, in der Untersuchung der Nachvulkanisation oder des Vulkanisationsprozesses überhaupt die Möglichkeit einer Zersetzung des Materials absolut eliminiert werden muß. Es ist wohl gerade dieser Punkt, der für die sich widersprechenden Resultate der verschiedenen bis jetzt ausgeführten Forschungen verantwortlich gemacht werden muß. Im Falle die Zersetzung verhindert werden kann, so ist, wie die obigen Ergebnisse zeigen, der Fortschritt der Vulkanisation in Proben, die Temperaturen bis zu 40° C ausgesetzt wurden, so gering, daß er für praktische Zwecke wohl vernachlässigt werden kann. Sogar das Sonnenlicht scheint keinen merklichen Einfluß auf die Reaktionsgeschwindigkeit auszuüben, wenn Autoxydation und Zersetzung ausgeschlossen sind.

Die Werte in nachstehenden Tabellen erbringen weiteren Beweis für obige Schlußfolgerungen.

D. Spence arbeitete dabei mit Mischungen, welche ungefähr 9% Schwefel enthielten und frei von mineralischen Füllstoffen waren. Durchschnittsmuster dieser beiden Mischungen wurden luftdicht in Glasröhren verschlossen und je vier solcher Röhren wurden dann in Glycerinthermostaten gebracht, die auf Temperaturen von 50°, 65°, 80°, 95°, 110° C gehalten wurden. Nach Zeitintervallen von ein, drei, sechs und neun Tagen wurde den Thermostaten je eine Probe entnommen und diese mittels der gewöhnlichen Methode auf gebundenen Schwefel analysiert. Die auf diese Weise für den Vulkanisationsschwefel erhaltenen Werte sind in nachfolgenden Tabellen wiedergegeben.

Änderung der Vulkanisationsgeschwindigkeit mit der Temperatur. Gebundener Schwefel in Prozent. Sich schnell zersetzende Mischung.

Vulk.-Zeit	$T = 50°\,C$	$T = 65°\,C$	$T = 80°\,C$	$T = 95°\,C$	$T = 110°\,C$
1 Tag (24 Stunden) . . .	0,19	0,26	0,48	4,74	9,24
3 Tage	0,39 (?)	0,50	1,26	7,76	9,37
6 „	0,25	0,72	2,45	9,42	9,52
9 „	0,27	0,87	3,85	9,53	9,49

Änderung der Vulkanisationsgeschwindigkeit mit der Temperatur. Gebundener Schwefel in Prozent. Sich nicht zersetzende Mischung.

Vulk.-Zeit	$T = 50°\,C$	$T = 65°\,C$	$T = 80°\,C$	$T = 95°\,C$	$T = 110°\,C$
1 Tag (24 Stunden) . . .	0,14	0,28	0,33	1,26	7,25
3 Tage	0,21	0,38	0,95	4,47	9,36
6 „	0,18	0,28	1,71	8,49	9,37
9 „	0,19	0,31	2,27	9,16	9,37

Die Vulkanisation bei Temperaturen von 50—60° C ist so gering, daß ihre Ausdehnung sogar nach neun Tagen kaum bestimmbar ist, während die Vulkanisation bei 80° C in der gleichen Zeitperiode ganz bedeutend ist.

Eine Betrachtung der in der zweiten Versuchsreihe erhaltenen Kurven erweckt auf den ersten Blick den Eindruck, daß irgendwo in der Nähe von 60° C eine „Reaktionstemperatur" liegt und daß die Vulkanisation bei Temperaturen, die darüber liegen, sehr schnell vor sich geht, während bei Temperaturen unterhalb der Reaktionstemperatur praktisch keine Vulkanisation stattfindet. Eine solche Übergangstemperatur wäre von außerordentlichem Interesse, da sie darauf hindeuten würde, daß, bevor

eine chemische Reaktion zwischen Kautschuk und Schwefel stattfindet, gewisse Bedingungen erfüllt werden müssen, die sich bei
einer Temperatur von ungefähr 60° C oder darüber schnell ein-
stellen. Eine solche Bedin gung dürfte eine Erklärung finden durch
die Theorie der Schwefeladsorption. Berechnungen des Temperaturkoeffizienten aus den Kurven und den Geschwindigkeitskonstanten
der Reaktion bei Temperaturen von 65°, 80° und 95° C deuten in
der Tat darauf hin, daß die durch 10° Temperatursteigerung zwischen
65—80° bewirkte Geschwindigkeitsänderung in keinem Verhältnis
steht und ungleich größer ist, als die zwischen 80—95° C beobachtete
Änderung.

In der Kautschukliteratur findet sich allgemein die Annahme, daß
es unmöglich sei Kautschuk so zu vulkanisieren, daß aller freier Schwefel
verschwindet. D. S p e n c e zeigte hingegen, daß sich dies erreichen läßt
bei Temperaturen unterhalb der gewöhnlichen Vulkanisationstemperaturen. Die einzigen Erfordernisse hierzu sind: gebührende Berücksichtigung der zu erfolgreicher Vulkanisation nötigen Faktoren und genügend Zeit.

In einer Fortsetzung seiner Untersuchungen, die ungemein exakt
durchgeführt wurden, will D. S p e n c e die Ansicht, daß die Heißvulkanisation des Kautschuks auf einer Adsorptionsverbindung beruht, vollkommen zu Falle bringen. Er machte seine Beobachtungen an einem
gereinigten Kautschuk, der mit 10% Schwefel bei einer Temperatur
von 135° C vulkanisiert wurde. Bei dieser Temperatur ging die Reaktion genügend langsam vor sich, um eine vollständige Untersuchung
zu gestatten. Die Reaktion verläuft glatt bis zu ihrer Vollendung, die
Geschwindigkeitskurve entbehrt gänzlich jener „Knicke", auf welche
C. O. W e b e r, S. A x e l r o d und Wo. O s t w a l d so großen Wert legten.
Nach beendigter Reaktion bleibt kein extrahierbarer Schwefel in der
Mischung zurück.

Durch die Untersuchung des Vulkanisationsverlaufes einer 10%
Schwefel enthaltenden Mischung bei einer Temperatur von 155° C
waren D. S p e n c e und J. Y o u n g instand gesetzt, den Wert des Temperaturkoeffizienten zu berechnen, welchen O s t w a l d als Argument zugunsten einer Adsorption ins Treffen führte. Zu diesem Zwecke verwendeten sie den linearen Ausdruck $k = \dfrac{x}{t}$, um den Geschwindigkeits-
koeffizienten k zu erhalten. Diese Gleichung wurde irgendeiner logarithmischen Form vorgezogen, da man mit ihr die übereinstimmendsten
Resultate erhält. Die logarithmische Gleichung wendet man nur auf
jenen Teil der Kurve an, der in seiner Form logarithmisch ist. Die
für k erhaltenen Werte waren in beiden Fällen praktisch konstant.
Bei Anwendung der Mittelwerte erhielten D. S p e n c e und J. Y o u n g
für den Temperaturkoeffizienten die Zahl 2,65. Diese Zahlen liegen
sehr wohl innerhalb der für eine chemische Reaktion angenommenen
Grenzen.

Bei Verwendung eines Überschusses von Schwefel finden D. S p e n c e und J. Young, daß am Ende der Reaktion ein stöchiometrisches Verhältnis zwischen dem Kautschuk und dem Schwefel besteht, welches der empirischen Formel $C_{10}H_{16}S_2$ entspricht. Auch nach längerer Fortsetzung der Vulkanisation konnten nicht mehr als 32% an gebundenem Schwefel erhalten werden. Dies scheint der maximale Sättigungspunkt des Kautschuks mit Schwefel zu sein.

D. Spence und J. Young vulkanisierten in derselben Art auch Balata und konnten feststellen, daß die Vulkanisation dieses Kohlenwasserstoffes in ganz gleicher Weise verläuft, wie die des Kautschuks. Die Reaktionsgeschwindigkeit ist fast gleich jener der Kautschukmischung bei derselben Temperatur. D. Spence und J. Young bezweifeln aber nicht, daß die Adsorption bei der Vulkanisation doch eine gewisse Rolle spielt, daß sie aber auf den freien oder gebundenen Schwefel beschränkt ist und nur die Vorläuferin des nachfolgenden chemischen Prozesses bildet.

Wo. Ostwald stellt sich gegen das glänzende Experimentalmaterial von D. Spence und seinen Schülern. Er beurteilt den Vulkanisationsprozeß vom rein theoretischen Standpunkte aus, ohne selbst auch nur das geringste Experimentalmaterial als Stützpunkt für seine Adsorptionstheorie beizubringen. Selbst nicht Praktiker, wirft er Spence unter anderem das Verschwinden eines gewissen Prozentsatzes von Schwefel vor und schließt daraus auf eine unexakte experimentelle Durchführung der Spenceschen Arbeiten. Würde Wo. Ostwald selbst auf diesem Gebiete experimentell tätig sein und nicht bloß die Experimentalarbeiten anderer für seine theoretischen Ausführungen benutzen, dann würde ihm bekannt sein, daß bei der Vulkanisation stets eine gewisse Menge Schwefel an der Oberfläche des Vulkanisats verdampft. Wir können uns durchaus nicht der Ostwaldschen Theorie vollkommen anschließen, bei aller Anerkennung der Anregungen, welche er durch seine Hypothese gegeben hat. Wo. Ostwald dürfte jedenfalls als einziger von allen Kautschukforschern von seiner Adsorptionstheorie felsenfest überzeugt sein, wenn er mit Nachdruck hervorhebt, „daß trotz aller Anerkennung der Fortschritte in der experimentellen Behandlung des Problems durch Spence, speziell die Deutung, Berechnung und Interpretation der Versuche derartig viel und mannigfaltigen Anlaß zur Kritik gibt, daß er ganz und gar nicht davon überzeugt ist, daß die Adsorptionstheorie (in den früher gegebenen Grenzen) auch nur in irgendeinem wesentlichen Punkte durch die Spenceschen Arbeiten erschüttert worden ist".

G. Bernstein hebt hervor, daß die experimentellen Untersuchungen der Kaltvulkanisation insoweit unvollständig sind, als man sich nur auf die Untersuchung des Endproduktes $(C_{10}H_{16})_2S_2Cl_2$ beschränkt hat, während über den Verlauf der Kaltvulkanisation nichts Sicheres bekannt ist. Diese Frage sucht G. Bernstein durch Viscositätsmessungen zu lösen. Die Viscosität einer kolloiden Lösung hängt mit der Ober-

flächenenergie der Phasen eng zusammen. Unter Zugrundelegung der
Anschauungen von Duclaux, denen zufolge eine kolloide Lösung aus
den Micellen und der intermicellären Flüssigkeit besteht — die Micellen
bestehen aus dem elektrisch geladenen Kern und den entgegengesetzt
geladenen Außenionen —, begründet der Verfasser den Schluß, daß
die Viscosität einer kolloiden Lösung durch Koagulation vermindert,
durch Adsorption gesteigert wird.

In Übereinstimmung mit früheren Untersuchungen findet G. Bernstein, daß das Endprodukt der Einwirkung von S_2Cl_2 auf Kautschuk
unter Einhaltung geeigneter Konzentrationsverhältnisse die Verbindung
$(C_{10}H_{16})_2S_2Cl_2$ ist. Zu den Viscositätsbestimmungen diente das bekannte
Viscosimeter von Ostwald. Als Lösungsmittel für den Kautschuk
dient Xylol. Während die Viscosität der Lösungen von Schwefelchlorür
in Xylol unabhängig von der Konzentration dieselbe ist, steigt die
Viscosität der Kautschuklösungen mit der Konzentration des Kautschuks jedoch nicht proportional an.

Die Viscositätsbestimmungen zeigen, daß die Viscosität der Kautschuklösungen mit Zugabe steigender Mengen Schwefelchlorür abnimmt;
der Einfluß ist besonders stark bei Zusatz geringer Mengen S_2Cl_2 (bis
0,1%); auch bei ein und derselben Konzentration S_2Cl_2 fällt die Viscosität mit der Zeit.

Aus diesen Versuchen schließt G. Bernstein, daß die Kaltvulkanisation kein Adsorptionsvorgang ist; die Abnahme der
Viscosität ist nicht durch die Abnahme der Kautschukkonzentration
zu erklären, denn in Konzentrationsgebieten, in denen zwischen Kautschukkonzentration und Viscosität nahezu Proportionalität besteht,
nimmt die Viscosität nach Zusatz von geringen Mengen Schwefelchlorür
stark ab; der Kautschuk erfährt also nach Zusatz von Schwefelchlorür
eine physikalische Veränderung.

Gegen diese Schlußfolgerung wendet E. Stern ein, daß es wohl
denkbar ist, daß im ersten unmeßbar schnell verlaufenden Stadium
Adsorption des Schwefelchlorürs an Kautschuk stattfindet und daß
erst dann die meßbare Änderung im Zustand des Kautschuks eintritt.
Wesentlich scheint auch die Ausdehnung der Messung unter Verwendung anderer Lösungsmittel (Naphthalin).

Übersehen wir noch einmal alle bisher angestellten Ex-
perimentalversuche zur Aufklärung des Vulkanisationsprozesses, so sind wir heute noch nicht in der Lage, ein
klares Bild von dem wirklichen Vorgange der Vulkanisation zu gewinnen. Man dürfte kaum fehlgehen, wenn man
annimmt, daß die Vulkanisation in ihrem ersten Stadium
einen Adsorptionsprozeß, in ihrem weiteren Verlaufe chemische Verbindungen vorstellt. Eine Kombination der
chemischen Auffassung C. O. Webers mit der Adsorptionstheorie Wo. Ostwalds in der Weise, wie sie D. Spence nachzuweisen versuchte, dürfte der Wahrheit am nächsten
kommen.

XIII. Das Regenerieren von Kautschuk.

E. J. Fischer: Regenerieren und anderweitige Verwertung von vulkanisierten Kautschukabfällen. Gummi-Industrie, 4. Jahrg., Nr. 1, 2 u. 3.

O. Kausch: Die Regenerierung von Altkautschuk. Kunststoffe, 1. Jahrg., Nr. 8, S. 146—151. 1911.

P. Bary: Die Regeneration des Kautschuks. Revue générale de Chimie pure et appl. 15. 243—52.

H. Loewen, Zur Theorie der Vulkanisation des Kautschuks. Zeitschr. für angewandte Chem. 1912. Heft 31.

Versuche zur Lösung des Problems Altkautschuk bzw. Kautschukabfälle auf wiederverwendbaren Kautschuk zu verarbeiten, sind annähernd ebenso alt, als die Kautschukindustrie selbst. Ganz im allgemeinen werden gewöhnlich die Regenerationsverfahren nach 4 Richtungen hin gruppiert:

1. Das Säureverfahren,
2. das Alkaliverfahren,
3. das Lösungsverfahren,
4. verschiedene andere Verfahren.

Durch die Fortschritte der Kolloidchemie kam man erst dahinter, daß das Wesen der Regeneration durchaus nicht in der Behandlung mit Säure oder Alkali usw. besteht. Diese begleiten bloß den eigentlichen Regenerationsvorgang und haben den Nebenzweck, den adsorbierten und freien Schwefel aus dem Altgummi abzubinden, damit dieser keine Nachvulkanisation während des Regenerationsprozesses zur Folge hat. Das Wesen der Regeneration ist ganz wo anders zu suchen — es liegt in dem Erwärmen und Plastizieren des ganzen Systemes unter Druck und besteht lediglich in einem Wiederbeleben des Altkautschuks. Vulkanisierte Kautschuke haben die Eigenschaft, unter Druck in der Wärme stark zu dispergieren, ohne sich zu zersetzen und später nach der Regenerationsbehandlung wieder zu aggregieren. Schöne Beispiele dafür liefern die Regenerationspatente von C. O. Immisch und von Gare. O. C. Immisch stellt Gegenstände aus Altgummi in der Weise her, daß er den Abfall in Spanform in entsprechende Formen einbringt und darin hohem Druck und großer Hitze unterwirft (D.R.P. Nr. 226158, britische Patente Nr. 28159 und 28365/1907, 3659, 3660, 28159/1908 und 3940/1909, französische Patente Nr. 399613 und 399614). Analog sind die Verfahren von Gare (britische Patente 12454 1906, 15616/1907, 3112 und 4484/1908, französisches Patent Nr. 373354). Treibt man die Dispersion zu weit, dann aggregiert das Regenerat nicht mehr — es ist schlecht. Die Kunst des Regenerierens besteht also in einem richtigen Einhalten der Dispersionsgrenze des betreffenden Altkautschuksystems. Dabei muß der schon vorhandene Dispersitätsgrad des Systems stets berücksichtigt werden. An der Hand der Patentliteratur ist man am besten in der Lage, ein übersichtliches Bild über die zahlreichen Regenerationsverfahren zu gewinnen. Es sei hier eine Zusammenstellung von J. E. Fischer wiedergegeben, welche sich nicht bloß auf die deutschen Patente, sondern auch auf die englischen, französischen und amerikanischen Patente erstreckt.

Deutschland.

Nummer des Patents	Datum	Patentinhaber	Titel des Patents	Klasse	Kurze Inhaltsangabe
3 859	24. 4. 1878	L. Danckwerth u. R. D. Köhler	Verfahren zur Benutzung von Kautschuköl, welches aus alten Gummiwaren gewonnen wurde	22	Das durch Destillation von Altgummi gewonnene und eingedickte Kautschuköl wird mit oder ohne Zusatz von Pflanzenölen als Kautschukersatz oder Zusatzstoff zu Gummimischungen benutzt.
9 910	4. 9. 1879	L. Heyer	Verfahren zur Wiedergewinnung des Gummis aus gebrauchtem vulkanisierten Gummi	22	Wasserdampf wird über geschmolzenen Altkautschuk geleitet.
18 136	22. 11. 1881	N. C. Mitchell	Verfahren zur Wiedergewinnung von Gummi aus Abfällen von Gummiwaren	39	Behandlung der Abfälle mit verdünnter Schwefelsäure oder Salzsäure, eventuell bei gleichzeitiger Dampfzuleitung.
61 961	27. 2. 1891	A. F. B. Gomess	Entschweflungs-Verfahren für vulkanisierten Gummi, Guttapercha u. dgl.	39	Behandlung mit verdünnter Schwefelsäure und kohlenstoffhaltigem Eisen, vor dem Kochen mit Alkalilauge.
75 063	14. 10. 1893	Michelin & Cie.	Verfahren zum Entvulkanisieren von vulkanisiertem Kautschuk	39	Behandlung mit Metallen oder Legierungen und Lösungsmitteln, welche gegen Gummi und Metalle indifferent sind, in der Wärme.
99 689	22. 10. 1897	Deutsche Gummi-Gesellschaft, G. m. b. H.	Verfahren zum Regenerieren von vulkanisiertem Weichgummi	39	Anilin, Toluidin, Xylidin und deren Homologe dienen als Lösungsmittel, die entweder in Form wasserlöslicher Salze oder durch Lösungsmittel vom Gummi getrennt werden.
104 356	18. 12. 1898	M. Zingler	Aufarbeitung von unbrauchbar gewordenem Kautschuk	39	Gewaschener Kautschuk wird in folgende Lösungen getaucht; in heiße, wässerige Brechweinstein- und Gerbsäurelösung oder in kalte Lösung von Gerbsäure und Sulfiten oder in heißes, wässeriges Gemisch der 3 Chemikalien.
109 827	9. 7. 1898	Dr. R. Rieckmann	Verfahren zum Verarbeiten von Gummiabfällen.	39	Behandlung der Abfälle mit Leinöl bis zur Auflösung und darauffolgende Vulkanisation.
112 017	16. 4. 1899	A. E. J. V. J. Theilgaard	Verfahren zum Entvulkanisieren von Kautschuk, Guttapercha u. dgl.	39	Zur Entschwefelung dient eine Natriumsulfitlösung.

112 500	24. 5. 1899	A. E. J. V. J. Theilgaard	Verfahren zum Entvulkanisieren von Kautschuk, Guttapercha u. dgl.	39	Zur Entschwefelung dienen Lösungen von Cyaniden, z. B. Cyankalium, bei mäßiger Wärme.
116 913	16. 5. 1899	D. J. Caselmann	Verfahren zum Regenerieren von Weichgummi	39	Das Material wird mit … Öl oder … Homologen bis zur Bildung einer Emulsion erwärmt; … längere Zeit bei 120—170° erhitzt. … den Kautschuk aus der Lösung ab.
119 127	30. 5. 1899	A. H. Marks	Verfahren zum Entvulkanisieren von Kautschuk	39	Der … wird mit … erhitzt.
119 637 (Zus.-P. v. 119 635)	9. 10. 1900	Dr. Zühl & Eisemann	Herstellung eines Kautschuk- und Guttaperchaersatzes	39 b	… gelöst, … in … Holzöl und Harz, … mit Naphthalin … vermischt, das … abdestilliert und die … vulkanisiert.
120 810	31. 12. 1899	Dr. C. Th. Brimmer	Verfahren zum Regenerieren von Gummi	39	Das Altgummipulver wird mit … öl (auf … bis 210° C) erhitzt. Aus der … Lösung wird durch Spiritus von 90% der Gummi ausgeschieden.
126 968	3. 10. 1900	C. A. R. Steenstrup	Verfahren zur Herstellung eines Kautschukersatzstoffes	39 b	Die Kautschukabfälle … Luftführ mit Leinöl … erhitzt, bis … Nach … Ungelösten wird die Kautschuklösung eingedickt.
135 054	23. 6. 1901	O. Haltenhoff	Regenerieren von Kautschukabfällen	39	Die gemahlenen … Abfälle … Schicht ausgebreiteten … erhitzt.
150 271	2. 9. 1902 (Zus.-P. z. 112 017)	A. E. J. V. J. Theilgaard	Verfahren zum Entvulkanisieren von Kautschuk, Guttapercha u. dgl.	39	Behandlung der Kautschukabfälle wie nach dem Hauptpatent, jedoch bei Temperaturen …
154 111	6. 4. 1902	J. Chautard und H. Kessler	Verfahren zum Regenerieren von Kautschuk- und Guttaperchaabfällen	39	Die … etwa 100° C erhitzt und … gelöst.
166 639	16. 3. 1904	B. Roux	Verfahren zur Wiedergewinnung von vulkanisiertem Kautschuk und Ebonit	39	Mischen des zerkleinerten Kautschuks mit 1 bis 5% Schwefel und Pressen der Masse bei etwa 500 Atm. bei 150—200° C.

Deutschland.

Nummer des Patents	Datum	Patentinhaber	Titel des Patents	Klasse	Kurze Inhaltsangabe
171 037	30. 6. 1903	Dr. P. Alexander u. Dr. F. Frank	Regenerieren von Kautschuk	39	Bei der Lösung der Kautschukabfälle werden außer dem flüchtigen Lösungsmittel noch solche Körper zugesetzt, die sich selbst durch Schwefelaufnahme kautschukartig verändern (z. B. Kautschukharze, Faktis, fette Öle, Asphalte usw.).
172 866	22. 11. 1903	A. Kittel	Verfahren zur Wiederbrauchbarmachung von vulkanisierten Gummiabfällen	39	Die zerkleinerten Abfälle werden mit Verbindungen, welche Schwefel aufnehmen können, z. B. kohlensauren Alkalien oder Ätzalkalien, in Pulverform trocken gemischt und dann auf 220—280° C ca. 2—3 Stunden erhitzt. Bei größerem Füllstoffgehalt kann noch Harzpulver zugesetzt werden.
174 797	9. 11. 1904	L. Th. Petersen	Verfahren zum Wiederverwendbarmachen von Kautschukabfällen	39	Die zerkleinerten Abfälle werden in geschlossenen Gefäßen mit einer wässerigen Phenol- oder Kreosotlösung auf 150—190° C erhitzt.
180 150	7. 9. 1904	J. Neilson	Regenerieren von Gummiabfällen aller Art	39	Auflösen der Abfälle in Harzöl unter Erwärmen, darauf Abtrennen der nicht gelösten Stoffe und Ausfällen des Kautschuks durch Aceton.
188 574	3. 1. 1905	Dr. Zühl & Eisemann	Regenerieren von Kautschuk	39	Der zerkleinerte Kautschuk wird mit Seifenlösung erhitzt. Statt dieser kann auch eine Suspension von Kohlenwasserstoffen in Seifenlösung Verwendung finden, ferner noch Salze, welche Schwefel lösen, zugesetzt werden. Die Behandlung erfolgt bei 110—180° C unter Druck.
190 506	9. 11. 1904	L. Th. Petersen	Verfahren zum Entfernen von Gewebefasern aus zu regenerierenden Kautschukabfällen mit Hilfe von Alkali	39	Die Abfälle werden mit einer schwachen Ätzalkalilösung bei einer ihren Siedepunkt nicht überschreitenden Temperatur und unter hohem hydraulischen Druck behandelt.

193 295	9. 8. 1904	R. B. Price	Regenerieren von Kautschukabfällen	39	Der zerkleinerte Altgummi wird in offenen Gefäßen mit Natronlaugen von solcher Konzentration behandelt, daß sie bei gewöhnlichem Luftdruck bei Temperaturen, die oberhalb des Schmelzpunktes des Schwefels liegen, sieden.
193 323	2. 6. 190?	W. A. Könemann	Aufarbeitung von Kautschukabfällen	39	Die Kautschukabfälle werden mit faserzerstörenden Mitteln bei Gegenwart nicht flüchtiger Stoffe, insbesondere Teer, Pech, Harz u. dgl. erhitzt.
195 417	2. 12. 1906	G. Wunderlich	Regenerieren von Kautschukabfällen	39	Die Abfälle werden mit verdickten trocknenden Ölen, wie Leinöl, Ricinusöl usw. vermischt.
197 154	24. 7. 1906	M. Fränkel & Runge	Verfahren zur Darstellung kautschukähnlicher, filtrierbarer Flüssigkeiten aus Altgummi und Gummiabfällen	39	Die durch Erhitzen von Altgummi mit Lösungsmitteln erhaltene Kautschuklösung wird mit stark alkalischen Flüssigkeiten unter Druck ... nach Beigabe von ... der Lösungsmittel ... die Kaut-... wird. Die ... sen mit ... Druck erhitzt. Aus der ... egen Kaut-... schuklösung kann der l ... durch Säuren gefällt ...
?5	3. 4. 1906	E. A. L. Rouzeville	Wiederbrauchbarmachen von Kautschukabfällen	39	Die ... ?en im Autol ... en mit oder hne Überdruck mit dem Reaktionsprodukt aus r ?öl und Schwefelsäure gemengt, wobei sich der l ... löst.
?0 667	11. 11. 1906 (Zus.-P. z. 197 154)	M. Fränkel & Runge	Herstellung kautschukmilchähnlicher, filtrierbarer Flüssigkeiten aus Altgummi oder Gummiabfällen	39	Behandlung wie im Hauptpatent, nur hne Anwendung von D? uk.
?2 130	11. 11. 1906	G. Koeber und Dr. V. Scholz	Verfahren zur Abscheidung des dem vulkanisierten Kautschuk mechanisch beigemengten Schwefels	39	Der Lösung des vulkanisierten Kautschuks werden solche mit ihr mischbare Flüssigkeiten zugesetzt, welche nur auf den freien Schwefel fällend wirken. Die Kautschuklösung wird sodann vom Schwefel getrennt und aus ihr der Kautschuk auf beliebige Weise geschieden.

Deutschland.

Nummer des Patents	Datum	Patentinhaber	Titel des Patents	Klasse	Kurze Inhaltsangabe
202 850	5. 3. 1907	Basler Chemische Fabrik	Verfahren zur Regenerierung von Kautschuk	39	Der zerkleinerte Kautschukabfall wird mit über 100° siedenden Äthern der Fett-, aromatischen und heterozyklischen Reihe unter Umrühren auf 100° oder darüber erhitzt und der Kautschuk aus der Lösung wieder abgeschieden.
208 290	3. 2. 1906	A. Gentzsch	Wiederbrauchbarmachung vulkanisierter Kautschukabfälle	39	Der feinzerkleinerte Altgummi wird mit dem 5. bis 10. Teil seines Gewichtes Anilin innig vermischt und $1/4$–$3/4$ Stunden auf 130 bis 160° erwärmt.
218 225	22. 4. 1908	N. Chercheffsky	Verfahren zur Herstellung von Lösungen von Harzen, Faktis, Rohkautschuk sowie von zur Kautschukregeneration besonders geeigneten Lösungen von Altkautschuk	39	Die Kautschukabfälle werden in Naphthensäuren gelöst, aus der Lösung entweder der Kautschuk gefällt, oder die Säuren durch Bildung von wasserlöslichen Salzen entfernt oder die Naphthensäuren durch Destillation vom Kautschuk getrennt.
220 393	2. 6. 1906	W. A. Könemann	Regenerieren von unbrauchbar gewordenem vulkanisiertem Kautschuk	39	Der zerkleinerte Altgummi wird bei 100—105° in einer Säuremischung aus Schwefelsäure und Salzsäure und mit Wasser behandelt.
221 066	21. 11. 1906	Les Produits Chimiques de Croissy J. Basler	Verfahren zur Regeneration von Kautschukabfällen sowie zur Reinigung von Rohkautschuk	39	Lösungen von Kautschuk in Terpineol oder analogen Sauerstoffverbindungen der Terpene werden mit solchen Flüssigkeiten versetzt, die entweder die Verunreinigungen des Kautschuks oder diesen selbst fällen.
225 229	29. 3. 1907	Fr. W. Passmore	Regenerieren von Kautschukabfällen und Gewinnung von reinem Kautschuk aus Rohkautschuk	39	Die Abfälle werden in dieses enthaltenden …yptol) oder Die Trennung des Kautschuks vom Lösungsmittel wird durch Fällung oder Destillation mit Wasserdampf bewirkt.
226 158	19. 2. 1909	O. C. Immisch	Verfahren zur Herstellung von Gegenständen aus Abfall-Ebonit oder Vulkanit	39	Das Abfallmaterial wird in Form von Dreh- oder Hobelspänen in Formen einem hohen Druck und Hitze ausgesetzt.

England (seit 1890).

Nr.	vom Jahre	Patentinhaber	Kurze Inhaltsangabe
20 089	1890	Mitchell	
10 528	1892	B. Gomess	
27 579	1896	Sefton	
6 043	1898	Heinzerling	
8 041	1899	Theilgaard	
10 820 10 821 10 822	1899	Theilgaard	
4 803	1901	Duwez	
11 149	1901	S. E. Heyl-Dia	Das zerschnittene Material wird unter mäßigem Druck mit Naphtha, Benzin, Terpentinöl und anderen Lösungsmitteln für Schwefel erhitzt.
3 468	1902	Price	
3 855	1902	Zühl	
8 084	1902	Chautard u. Kessler	
20 081	1902	Theilgaard	
25 044	1902	Theilgaard	
3 491	1904	Petersen	
6 471	1904	Robinson Broth. Ltd u. G. A. L. Clift	Die Abfälle werden mit Pyridin oder ähnlichen Basen behandelt und dieses durch Binden an eine Säure von der Kautschuklösung getrennt.
7 795	1904	Karavodine	
15 436	1904	Kittel	
17 313	1904	Price	
2 575	1905	Gubbins	Behandlung der vulkanisierten Abfälle mit Schwefelsäure.
2 655	1905	Steenstrup u. A. S. Gummi-Regenerations-Societät (System Resen-Steenstrup)	
8 378	1905	H. F. Gregory und T. M. Thorn	Der vulkanisierte Abfall wird mit verdünnter Salzsäure, darauf mit verdünnter Ätznatronlauge behandelt. Der Rückstand wird ausgewaschen, getrocknet und mit einem Gemisch von Anilin und Naphtha auf dem Dampfbade erhitzt.
14 681	1905	Alexander	
22 504	1905	Körner	
5 486	1906	Société Michelin & Co.	
12 454	1906	Gare	
12 527	1906	Könemann	
15 526	1906	Könemann	
23 681	1906	Produits Chimiques de Croissy (J. Basler & Co.)	
249 69	1906	Gentzsch	
24 970	1906	Gentzsch	
25 735	1906	Alexander	
2 289	1907	Passmore	

England (seit 1890).

Nr.	vom Jahre	Patentinhaber	Kurze Inhaltsangabe
4 268	1907	West	Der fein zerteilte Abfall wird zunächst mit Aceton extrahiert, dann bei gewöhnlicher Temperatur mit Halogenderivaten aliphatischer oder aromatischer Kohlenwasserstoffe behandelt. Die klebrige Masse wird in Formen gepreßt.
7 714	1907	Rouxeville	
15 616	1907	Gare	
28 159	1907	Immisch	
28 365	1907	Immisch	
3 112	1908	Gare	
3 659	1908	Immisch	
3 660	1908	Immisch	
4 484	1908	Gare	
4 714	1908	Basler Chem. Fabrik	
13 599	1908	Hyatt und Penn	
14 830	1908	Roux	
18 048	1908	Austerweil	
23 627	1908 }	R. Hutchinson, R. Milne u. A. Hutchinson	
26 643	1908 }		
27 567	1908	Capelle	
9 284	1909	Markus	Das Altmaterial wird in Form dünner Streifen und Platten unter Druck allmählich in Formen erhitzt. Die Temperatur ist dabei höher als bei der Vulkanisation.
22 222	1909	Van Oosterzee	
22 302	1909	Van Oosterzee	
29 864	1909	C. Dreifuss, A. Friedl, H. Bantley u. The Clayton Aniline Co. Ltd.	Der zerkleinerte Altkautschuk wird mit 10 proz. Schwefelsäure, dann mit 10 proz. Natronlauge behandelt. Hierauf wird er gewaschen, getrocknet, mit der 3 bis 5 fachen Menge Anilin gemischt und auf 140—170° erhitzt.
718	1910	Bianchieri	
719	1910	Bianchieri	

Frankreich (seit 1890).

Nr.	Datum	Patentinhaber	Kurze Inhaltsangabe
214 569	1. 7. 1891	Gomess	
220 520	30. 3. 1892	Raymond	
262 179	14. 12. 1896	Sefton	
273 901	10. 1. 1898	Dtsch. Gummi-Gesellschaft, G. m. b. H.	
276 175	22. 3. 1898	Clark	

Frankreich (seit 1890).

Nr.	Datum	Patentinhaber	Kurze Inhaltsangabe
278 836	16. 6. 1898	de Laqueuille	Das Altkautschukpulver wird zunächst mit Ätzalkalilauge, dann mit Toluen, Terpentinöl oder Harzöl behandelt. Hierauf wird das Ungelöste abfiltriert, das Lösungsmittel abdestilliert, der Rückstand wieder gelöst und aus der Lösung der Schwefel durch Elektrolyse entfernt. Der Kautschuk wird durch Abkühlung der Lösung unter 0° C abgeschieden.
287 928	17. 4. 1899	Theilgaard	
289 221	26. 5. 1899	Caselmann	
289 312	29. 5. 1899	Marks	
289 426 ⎱ 289 428 ⎰	31. 5. 1899	Theilgaard	
313 747	23. 8. 1901	Kessler	
313 793	26. 8. 1901	Duwez	Zum Entschwefeln dient eine Ätzkalklösung, mit welcher die Gummiabfälle gekocht werden.
317 293	26. 12. 1901	Chautard und Kessler	
318 580	11. 2. 1902	Price	
326 403	17. 11. 1902	Theilgaard	
338 048	16. 10. 1903 u. Zus.-P. v. 18. 4. 1904	M. Pontio	Behandlung der Kautschukabfälle mit einem Lösungsmittel, Trennen vom Ungelösten, Verdampfen der Lösung unter vermindertem Druck. Hierauf Behandlung des Rückstandes mit kochendem Aceton und dann mit alkoholischer Natronlauge oder auch nur mit Amylalkohol.
338 945	25. 7. 1903	V. de Karavodine	
344 734	9. 7. 1904	Kittel	
344 793	8. 8. 1904	Price	
351 816	25. 2. 1905	A. S. Gummi-Regenerationssocietet (Syst. Resen - Steenstrup (Robinson Broth. Ltd. und G. A. L. Clift	Zu der durch bekannte Mittel erhaltenen Kautschuklösung wird eine Aceton-Nitrocelluloselösung gesetzt.
355 017	7. 6. 1905	Germain	
357 336	29. 8. 1905	Neilson	Das Altkautschukpulver wird mit einer Lösung von rohem Paragummi vermischt.
357 765	22. 8. 1905	A. Ducasble	
358 018	25. 9. 1905	Alexander	
358 635	18. 10. 1905	Körner	
361 300	30. 3. 1905	Société Michelin & Co.	

Frankreich (seit 1890).

Nr.	Datum	Patentinhaber	Kurze Inhaltsangabe
368 144	2. 6. 1906	Könemann	Die Kautschukabfälle werden mit Terpineol bei etwa 100—150°C digeriert. Hierauf wird die Lösung mit dem 4 fachen Volumen Benzin durchgerührt und nach dem Absitzen dekantiert.
370 619	19. 10. 1906	Tixier	
370 871 370 872	27. 10. 1906	Gentzsch	Die Abfälle werden mit Natronlauge gekocht, gewaschen, getrocknet und
375 547	9. 3. 1907	G. Biéron	mit Anilin im Autoklaven auf 180° C erhitzt.
375 709	21. 5. 1906	Rouxeville	Der Altkautschuk wird in ein Bad aus
376 448	4. 3. 1907	C. d'Authier de Rochefort und L. Sance	geschmolzenem Metall (100 Teile Zinn + 2 Teile Wismut) getaucht und dann in „Mineralessenz" gelöst.
378 251	4. 8. 1906 u. 1. u. 2. Zus.-P. v. 2. u. 3. 8. 1907	Rouxeville	
378 801	21. 3. 1907 u. 1. Zus.-P. v. 30. 3. 1907	Rouxeville	
380 998	25. 10. 1906	J. C. L. Guerry	
382 053	28. 11. 1906	J. Dupont	Die vulkanisierten Abfälle werden mit Terpinhydrat erhitzt, das Gemisch mit Wasser ausgekocht und aus dem Rückstand mit Lösungsmitteln, z. B. Xylol, der Kautschuk ausgezogen.
383 669	14. 1. 1907 u. 1. Zus.-P. v. 19. 2. 1907	J. Dupont	
384 546	30. 11. 1907	Wunderlich	
387 652	28. 2. 1908	Basler Fabrik chem. Produkte	
388 248	17. 3. 1908	Austerweil	
390 637	3. 8. 1907	J. Basler & Co.	Kautschukabfälle werden mit Oxydationsmitteln gemischt und das Gemisch auf 150—200° C erhitzt.
398 583	15. 12. 1908	G. Capelle	Der zerkleinerte Altgummi wird mit den Zersetzungsprodukten des Kautschuks oder ähnlicher Stoffe (Harze, Gummen u. dgl.) gemischt.
403 446	28. 5. 1909	M. P. Clark	
404 334	23. 6. 1909	P. D. Penn	
405 337	26. 6. 1909	Austerweil	
405 678	3. 8. 1909	W. v. Oosterzee	Das Altkautschukpulver wird erst mit Alkalilösung gereinigt, dann mit 10 bis 30% eines Lösungsmittels (z. B. Leichtbenzin) gemischt und 3 bis 4 Stunden lang auf 130—140° C unter Druck erhitzt.

Frankreich (seit 1890).

Nr.	Datum	Patentinhaber	Kurze Inhaltsangabe
407 146	18. 9. 1909	J. C. Bongrand	Das Altkautschukpulver wird mit Paraffinöl oder Fett auf 130 bis 150° C bis zu völliger Lösung erhitzt und durch Einrühren von Schwermetallsalz (z. B. Bleiacetat) der Schwefel als Sulfid gefällt.
407 793	11. 10. 1909	L. Banchieri	
409 482	22. 11. 1909 u.Zs.-P. 12643 v. 20. 5. 1910	A.L.Chodorowski	
413 809	11. 6. 1910 u. Z.-P. 12753	C. P. Bary	
414 759	12. 4. 1910	L. C. A. de Clerq	Gepulverter Altgummi wird bis zur Aufschwellung mit Terpentinöl erhitzt, später im Autoklaven mit überschüssigem, Naphthalin enthaltenden Terpentinöl; darauf kann der Kautschuk aus der Lösung abgeschieden werden.

Amerika (V. St.) seit 1895.

Nr.	Datum	Patentinhaber	Kurze Inhaltsangabe
601 091	22. 3. 1898	P. L. Clark	
627 689	27. 6. 1899	C. Heinzerling	
635 141	17. 10. 1899	A. H. Marks	
638 775	12. 12. 1899	Theilgaard	
642 764	6. 2. 1900	Theilgaard	
664 529	25. 12. 1900	C. Brimmer	
665 967 665 968	15. 1. 1901	J. Murphy (A. Spadone)	Die vulkanisierten Abfälle werden gleichzeitig mit entschwefelnd und desoxydierend wirkenden Mitteln, z. B. Soda und Gallussäure, behandelt.
689 646	24. 12. 1901	G. E. Heyl-Dia	
693 151	11. 2. 1902	R. B. Price	
696 423	1. 4. 1902	O. F. J. Duwez	
697 338	8. 4. 1902	Th. Harmer (The Manufactured RubberComp.)	
763 843	14. 6. 1904	R. B. Price	
774 727	8. 11. 1904	T. Petersen	
776 187	29. 11. 1904	W. A. Könemann	
801 066	3. 10. 1905	A. P. Eves	Der Altkautschuk wird mit Natriumsulfat „oder dergleichen" erhitzt und dann Bariumchlorid „oder dergleichen" in die heiße Masse hineingearbeitet.
823 053 823 044	12. 6. 1906	W. A. Könemann	
830 260	2. 3. 1905	C. A. R. Steenstrup Aktieselskabet.	
834 623	30. 10. 1906	W. A. Könemann	

Amerika (V. St.) seit 1895.

Nr.	Datum	Patentinhaber	Kurze Inhaltsangabe
838 419	22. 3. 1904	V. de Karavodine und B. Roux	
844 077	12. 2. 1907	P. Alexander	
866 758 866 759	24. 9. 1907	A. Wheeler	Der von Gewebeteilen und anderen Fremdstoffen befreite Altkautschuk wird überhitztem Dampf ausgesetzt. Die plastisch gewordene Masse wird geformt und schnell abgekühlt.
913 218	29. 4. 1908	E. Meyer	
921 148	31. 8. 1905	L. Neilson	
922 339	18. 3. 1907	L. Rouxeville	
924 101	8. 6. 1909	W. Passmore	
924 117	8. 6. 1909	A. Tixier	
936 468	12. 10. 1909	E. Meyer	Der zerkleinerte Altgummi wird anfangs mit Flüssigkeiten, welche Kautschuk lösen, behandelt, dann unter hohem Druck der Einwirkung einer aus dem Kautschukharz hergestellten Harzseife bei hoher Temperatur ausgesetzt.
951 811	15. 3. 1910	A. Gentzsch	
953 094	29. 3. 1910	M. Körner	
961 395	14. 6. 1910	G. Austerweil	
967 751	16. 8. 1910	Th. Gare	Das Altkautschukpulver wird zunächst in Formen kalt gepreßt, dann in den Formen unter Druck erhitzt.

In einer schönen Untersuchung zeigte R. Thieben in meinem Kautschuklaboratorium die Abhängigkeit des Dispersitätsgrades eines Regenerates von der Dauer des Regenerationsprozesses. Dieser höchst interessanten Untersuchung seien einige Resultate entnommen. Es wurden Kautschukabfälle von der gleichen Zusammensetzung mit einer gleich konzentrierten alkalischen Lösung nach dem Alkaliverfahren verschieden lang regeneriert. R. Thieben erhielt:

1. Nach 2 Stunden bei 6 Atmosphären: Ein sprödes Regenerat, welches auf den Walzen keinen Zusammenhang gibt. Der freie und auch der größte Teil des adsorbierten Schwefels ist aber bereits entfernt.

2. Nach 3 Stunden bei 6 Atmosphären: Ein Regenerat wie unter 1.

3. Nach 6 Stunden bei 6 Atmosphären: Ein weniger brüchiges Regenerat, welches sich auf den Walzen ohne verbindende Zusätze zu einem Felle auswalzen läßt.

4. Nach 9 Stunden bei 6 Atmosphären: Ein sehr wenig plastisches Regenerat, welches leichter zu einem Felle auswalzbar ist als Nr. 3.

5. Nach 15 Stunden bei 6 Atmosphären: Ein unplastisches Regenerat, welches durch eine ganz geringe Menge eines Klebezusatzes zu einem Felle auswalzbar ist.

6. **Nach 20 Stunden bei 6 Atmosphären:** Ein plastisches Regenerat, welches sich ohne Klebestoffe auswalzen läßt, aber nach längerem Liegen zerbröckelt.

Gegen die von P. Alexander vertretene Anschauung, daß eine Beseitigung des Vulkanisationsschwefels aus vulkanisiertem Kautschuk praktisch nicht durchführbar sei, wendet sich P. Bary. Nach ihm entspricht die unterste Grenze der Vulkanisation der Formel $(C_{10}H_{16})_{20}S_2$. Bei einem geringeren Gehalt an gebundenem Schwefel hat man es mit nur teilweise geschwefeltem Kautschuk zu tun, wie er den gewöhnlichen Bedingungen nicht entspricht. Bei Schwefelung nach dieser untersten Grenze sind alle Kautschukmoleküle gesättigt. Um neue Mengen Schwefel aufnehmen zu können, müssen diese Moleküle zerfallen und dadurch neue Doppelbindungen freimachen, welche vom Schwefel gesättigt werden. Die Vulkanisation ist daher immer mit einer Dispersion des Kautschukmoleküls verbunden, daher erleichtert jede die Dispersion des Kautschuks begünstigende Behandlungsweise (Erwärmen, mechanische Behandlung) die Vulkanisation. Aus dem Umstande, daß die Vulkanisation nur bei Gegenwart von überschüssigem Schwefel eintritt, ist zu entnehmen, daß die Schwefelung des Kautschuks eine Gleichgewichtsreaktion ist, und daß es für jede Temperatur und jeden Druck ein Gleichgewicht zwischen der Menge des gebildeten Kautschuksulfids und der Menge des überschüssigen Schwefels gibt. Wenn diese Anschauung richtig ist, muß nicht nur bei Erhöhung des dem Gleichgewicht entsprechenden Schwefelüberschusses der Vulkanisationsgrad steigen, wie es tatsächlich der Fall ist, sondern es muß auch bei Verringerung des Schwefelüberschusses gebundener Schwefel frei werden. Eine Bestätigung dieser Annahme sieht P. Bary in den Ergebnissen von Versuchen, bei denen durch wiederholtes, je 8 Stunden dauerndes Erhitzen auf 145° etwa 21,4% des gebundenen (acetonunlöslichen) Schwefels, oder bei einmaligem 8stündigen Erhitzen auf 125° in Xylol etwa 22,6% des gebundenen Schwefels acetonlöslich bzw. dialysierbar wurden. Da die Vulkanisation des Kautschuks ein reversibler Vorgang ist, steht der Regeneration theoretisch nichts entgegen. Daß der devulkanisierte Kautschuk sich in einem Zustand der Dispersion befindet, der seiner Qualität schädlich ist, kann nur als eine Verzögerung angesehen werden, da der dispergierte Kautschuk unter geeigneten Bedingungen von selbst wieder nervig wird.

Unter Regeneraten versteht P. Bary aus vulkanisierten Abfällen extrahierte, von Fremdkörpern genügend befreite Massen, die sich in einem solchen Zustand befinden, daß sie in den Mischungen den natürlichen Kautschuk vollkommen zu ersetzen vermögen. Geeignete Mittel zur Beseitigung des freigewordenen Schwefels sind nach Ansicht P. Barys die Peroxyde des Bleis und des Mangans, sowie Ferrioxyd. Die geeignetste Methode zur Abscheidung des freien Schwefels beruht auf der Anwendung der Osmose.

XIV. Schwindflecken an vulkanisiertem Kautschuk.

R. Ditmar und R. Thieben: Kolloidzeitschr. 11. H. 2. S. 80—83. 1912.

Eine in der Weich- und besonders in der Hartgummifabrikation häufig vorkommende Erscheinung an vulkanisierten Produkten ist das Auftreten von Schwindflecken. Diese Schwindflecken bestehen aus größeren oder kleineren Vertiefungen verschiedenen Umfanges an der Oberfläche des betreffenden Vulkanisats. Es unterliegt keinem Zweifel, daß es sich sicherlich um eine kolloidchemische Erscheinung handelt. Wir finden bei anderen Kolloiden ähnliche Erscheinungen, so z. B. beim Zement[1]), und dies bestärkt mich in der Auffassung, daß in der kolloiden Natur des Kautschuks die Ursache der Schwindung zu suchen ist.

Es seien nun einige Beispiele angeführt, wann solche Schwindflecken auftreten und wann nicht. Die Musterplatten, welche im nachfolgenden angeführt sind, wurden stets im Dampfe im Kessel vulkanisiert, nachdem sie vorher kalandriert und zwischen Glasplatten gepreßt in den Kessel gebracht waren.

Zunächst ein Beispiel einer Weichgummimischung:

Keine Schwindflecken.

Mozambiquekautschuk. . . . . 25,00 kg
Mapaikautschuk . . . . 6,00 „
Madagaskarkautschuk . . . . 6,00 „
Schwefel . . . . 4,50 „
Bleiglätte . . . . 36,00 „
Zinkweiß. . . . . 2,00 „
Talkum . . . . 20,50 „

Die Mischung wurde 35 Minuten bei 4 Atmosphären vulkanisiert und zeigte keine Schwindflecken.

Schwindflecken.

Mozambiquekautschuk. . . . . 25,00 kg
Mapaikautschuk . . . . 6,00 „
Madagaskarkautschuk . . . . 6,00 „
Schwefel . . . . 5,50 „
Bleiglätte . . . . 36,00 „
Zinkweiß. . . . . 2,00 „
Talkum . . . . 19,50 „

Die Mischung wurde 35 Minuten bei 4 Atmosphären vulkanisiert und zeigte Schwindflecken.

Bei der Vulkanisation findet zunächst ein Durchwärmen des ganzen Systems statt. Die beiden Oberflächen des Musters, welche am Glase liegen, werden stets etwas rascher vulkanisiert als der innere Teil des Systems, weil die Wärme langsam in die Tiefe dringt. Das System ist

---

[1]) P. Rohland: Die Kolloidnatur des Zements und seine Schwindung. Kolloidzeitschr. 9, H. 6, S. 307—308. 1911.

durch die Zusätze Talkum und Glätte sehr stark dispergiert, ebenso die verwendeten Kautschuksorten. Es kann also eine sehr rasche Adsorption und Anlagerung des Schwefels stattfinden. Verläuft diese Adsorption und Anlagerung rapid, dann ist der Vorgang der Vulkanisation mit einer Kontraktion verbunden. Wir müssen uns nun fragen, warum im ersten Falle keine Schwindflecken, im zweiten Falle hingegen Schwindflecken entstehen. Im zweiten Falle erfolgt eine zu rasche Vulkanisation durch die große Schwefelmenge im Momente, wo sich Schwefel und Kautschuk in den Phasen halbflüssig + halbflüssig befinden. Eine Kontraktion und damit Schwindfleckenbildung ist die Folge. Wenden wir hingegen weniger Schwefel an (Fall 1), dann erfolgt die Vulkanisation (Adsorption und chemische Anlagerung) weniger rapid, so daß keine Kontraktion entsteht und das System allmählich fixiert wird. Die Ursache der Schwindfleckenbildung beruht also in diesem Falle auf einer zu raschen Fixierung des stark dispergierten Systems, hervorgerufen durch einen zu großen Zusatz von Schwefel. Natürlich ist die ganze Schwindfleckenbildung abhängig vom kolloiden Zustand des verwendeten Kautschuks, also vom Dispersitätsgrade desselben. Würden wir einen anderen Kautschuk verwenden, dann würde der Prozeß wieder anders verlaufen, vielleicht ohne Schwindfleckenbildung.

　　Wenden wir uns nun zum Hartgummi, bei welchem der Gummifabrikant die Schwindflecken viel schwerer empfindet als beim Weichgummi. Hier sind die Resultate noch viel auffallender.

Keine Schwindflecken.

Peruviankautschuk	31 kg
Ceylon-Parakautschuk	31 ,,
Schwefel	25 ,,
Magnesia usta	3 ,,
Kaolin	2 ,,
Faktis braun	8 ,,
Ruß	4 ,,

Die Mischung wurde 8 Stunden bei 4 Atmosphären vulkanisiert und zeigt keine Schwindflecken.

　　Nimmt man dieser Mischung den Ruß und fügt 10 % Bleiglätte hinzu, so erhält man sofort Schwindflecken. Nachdem die Bleiglätte ein ausgezeichneter Vulkanisationsbeschleuniger ist, so treten hier die Kontraktionen ein. Infolge der rapid verlaufenden Vulkanisation, die sich auf die ganze Masse erstreckt, hervorgerufen durch den Vulkanisationsbeschleuniger Bleiglätte. erfogt Schwindfleckenbildung.

　　Solche Erscheinungen treten nicht bloß durch die Bleiglätte auf, sondern auch beim Zumischen anderer Vulkanisationsbeschleuniger. Ich betone nochmals, daß die Grundbedingung zur Bildung von Schwindflecken immer ein stark dispergiertes System ist. Es soll also nicht vielleicht gesagt sein, daß man die Anwendung von

Vulkanisationsbeschleunigern vermeiden soll. Ist das System nicht sehr stark dispergiert, dann wird eben der Vulkanisationsbeschleuniger vulkanisationsbeschleunigend wirken, ohne Schwindflecken zu erzeugen. Es ist klar, daß die meisten Metalle in Form von Staub einer Mischung zugesetzt vulkanisationsbeschleunigend wirken müssen. Natürlich gibt es auch Ausnahmen, so z. B. Nickel. Eine der stärksten Dipersionen kann man in einer Kautschukmischung durch feinen metallischen Zinkstaub bewirken. Es wurden in dieser Richtung verschiedene Versuche ausgeführt, von denen hier einige angeführt sein mögen. Zunächst wurde folgende Grundmischung hergestellt:

Peruviankautschuk . . . . 33 kg
Schwefel . . . . 14 „
Magnesia usta . . . . 1 „
Zinkoxyd . . . . 1 „
Kalk . . . . 1 „

Von dieser Mischung wurden immer je 10 g genommen, mit verschiedener Menge Zinkpulver auf der Laboratoriums-Mischwalze gemischt und durch verschiedene Zeiten auf 4 Atmosphären vulkanisiert. Es wurden auch immer 10 g des ursprünglichen Präparates mit der Zinkmischung mitvulkanisiert, um die Unterschiede an den Vulkanisaten festzustellen, die durch die Gegenwart von Zink bewirkt wurden. Die höchst interessanten Ergebnisse finden sich in nachfolgender Tabelle zusammengestellt:

Nr.	Mischung		Atmosphären	Zeit in Stunden	Oberfläche	Aussehen
1	ohne	Zinkpulver	4	8	keine Schwindflecken	gut ausvulkanisiert
2	mit 5%	„	4	8	wenig „	„ „
3	ohne	„	4	6	keine „	„ „
4	mit 5%	„	4	6	große starke	„	„
5	ohne	„	4	5	keine „	„
6	mit 1%	„	4	5	große starke	„	„ . . „
7	ohne	„	4	4	keine „	kein Hartgummi
8	mit 15%	„	4	4	sehr große starke	„	„ „
9	mit 20%	„	4	4	starke „	„ „

Der Zusatz von Zinkpulver bewirkt ein sehr starkes Erweichen, also eine Dispersion des ganzen Systems, was man auf der Mischwalze ganz deutlich wahrnimmt. Außerdem beschleunigt Zinkpulver, wie die meisten Metallpulver, die Vulkanisation. Auffallend ist es, daß das Muster Nr. 6 bedeutend größere und stärkere Schwindflecken zeigt als Muster 2, obwohl Muster 6 mit 1% Zinkpulver und Muster 2 mit 5% Zinkpulver vulkanisiert wurden. Es zeigt sich also eine deutliche Abhängigkeit der Schwindfleckenbildung in bezug auf Quantität von der Zeit der Vulkanisation. Es macht den Eindruck, als ob sich die Schwindflecken durch eine lange Vulkanisationszeit wieder ausgleichen, die Kontraktion schlägt in Distraktion um, der Prozeß verläuft durch weitere Schwefelanlagerung reversibel. Vielleicht findet Schwindfleckenbildung nur so lange statt, solange der Vulkanisationsprozeß größtenteils im Adsorptionsstadium verläuft. Sobald hingegen der Prozeß der chemischen Reaktion zum größeren Teile einsetzt, findet Überwindung der physikalischen Kontraktion statt. Mithin dürfte die Kontraktion kolloidchemischer, die Distraktion hingegen chemischer Natur sein.

Ein anderes Beispiel über Hartgummi:

Schwindflecken.

Peruviankautschuk . . . . 20 kg
Faktis (schwarzbraun) . . . . .8 „
ausgekochter Teer . . . . 18 „
Schwefel . . . . 22 „
Kieselgur . . . . 27 „
Harzöl . . . . 5 „

Zunächst wurde langsam in $^3/_4$ Stunden auf 4 Atmosphären hinaufgegangen und dann 2 Stunden lang auf 4 Atmosphären gehalten.

Dieselbe Mischung zeigte ohne Zusatz von Harzöl unter ganz gleichen Vulkanisationsbedingungen keine Schwindflecken. Das Harzöl dispergiert eben das System derart stark, daß dadurch die Vulkanisation rapider verläuft als beim weniger dispergierten System. Die Ursache der Schwindfleckenbildung liegt also in diesem Falle in der stark dispergierenden Wirkung des Harzöles und die dadurch bewirkte rapidere Vulkanisation.

Nehmen wir nun die gleiche Mischung wie oben, aber nur die Hälfte Harzöl, also die Mischung:

Peruviankautschuk . . . . 20,00 kg
Faktis . . . . 8,00 „
Teer . . . . 18,00 „
Schwefel . . . . 22,00 „
Kieselgur . . . . 27,00 „
Harzöl . . . . 2,50 „

Die Vulkanisierzeit ist genau die gleiche wie oben. Es findet Schwindfleckenbildung statt, allein die Schwindflecken sind nicht so zahlreich wie oben, was auf eine geringere Dispersion des Systems zurückzuführen ist.

Setzt man in derselben Mischung das Harzöl auf 1,25 kg und vulkanisiert man wiederum genau wie oben, dann werden die Schwindflecken noch weniger, was gut mit der Dispersionstheorie im Einklang steht.

Vulkanisiert man nun die frühere Mischung:

Peruviankautschuk . . . . 20 kg
Faktis (schwarzbraun) . . . . 8 „

ausgekochter Teer . . . . 18 kg
Schwefel . . . . 22 „
Kieselgur . . . . 27 „
Harzöl . . . . 5 „

so, daß man statt $^3/_4$ Stunden 2 Stunden aber sehr langsam auf 4 Atmo-sphären hinaufgeht, und hält man dann wieder 4 Atmosphären auf 2 Stunden hindurch, dann erhält man weniger, dafür aber sehr große Schwindflecken.

Vulkanisiert man dieselbe Mischung in einer halb so dünnen Platte als früher, so erhält man ungefähr die doppelte Menge an Schwind-flecken. Dickere Platten zeigen also weniger Schwindflecken als dünnere.

Vulkanisiert man die zuletzt angeführte Mischung auf 4 Atmo-sphären in der Weise, daß man so schnell als möglich, also in höchstens 5 Minuten auf 4 Atmosphären anlangt, und hält man dann 2 Stunden auf 4 Atmosphären, dann bekommt man gar keine Schwindflecken.

Wie erklärt sich nun der Fall, daß beim rapiden Ansteigen auf die erforderliche Vulkanisationstemperatur keine Schwindfleckenbildung stattfindet, während beim langsamen Ansteigen Schwindflecken ent-stehen. Beim rapiden Ansteigen vulkanisiert die Oberfläche momentan zu Hartgummi, bevor das ganze System im Inneren durchwärmt ist. Es können dann an der Oberfläche keine Schwindflecken mehr ein-treten, nachdem bereits eine feste Oberfläche gebildet ist. Die Ober-flächenspannungen können sich infolgedessen nicht auslösen.

Warum zeigen die dünneren Platten mehr Schwindflecken als die dickeren? In einem Dünnplattensystem findet rascher eine vollstän-dige Erwärmung bis ins Innere der Platte statt, als in einem Dickplatten-system. Infolgedessen kann die Oberfläche noch nicht zu Hartgummi ausvulkanisiert sein, ohne daß das Innere nicht ebenfalls bereits zu Hart-gummi vulkanisiert wäre. Der ganze Vulkanisationsprozeß verläuft im Inneren und an der Oberfläche ziemlich gleichmäßig, daher muß auch die Kontraktion gleichmäßig eintreten, infolgedessen erhält man bei Dünnplatten stärkere Schwindfleckenbildung. Bei den dickeren Platten hingegen vulkanisiert die Oberfläche rascher als das Innere, daher ist die Oberfläche glatt und bereits zu Hartgummi vul-kanisiert, bevor Kontraktionen durch die Vulkanisation des inneren Systems eintreten.

Es seien nun die gemachten Beobachtungen kurz im nachfolgenden zusammengefaßt: .

Grundbedingung für die Bildung von Schwindflecken sind stark dispergierte Mischungen. Die Schwindflecken beruhen auf einer Verkleinerung der Oberfläche, also auf einer Kontraktion und einer Vergrößerung der Dichte. Die unmittelbare Ursache der Schwindfleckenbildung ist immer eine zu rapid verlaufende Vulkanisation an einem stark dispergierten System, hervorgerufen durch disper-gierende Mittel, durch eine zu große Schwefelmenge und durch Vulkanisationsbeschleuniger. Eine große Rolle bei der Schwindfleckenbildung spielt das Vorwärmen des Systems bei der Vulkanisation, die Vulkanisationszeit und das Volumen des zu vulkanisierenden Stückes. Schwindfleckenbildung läßt sich vermeiden durch Herabsetzen der Dispersion des Systems.

Schwindfleckenbildung tritt auch häufig ein, wenn man die Vulkanisierformen mit gewissen Fetten oder Ölen einschmiert, welche in die Kautschukoberfläche eindringen und Dispersion derselben hervorrufen.

Auch am kaltvulkanisierten Kautschuk kann man bei Anwendung eines hochkonzentrierten Kaltvulkanisators manchmal Schwindflecken beobachten.

XV. Paraflecken.

R. Ditmar: Paraflecken. Kolloidzeitschr. **11.** H. 1. S. 36—37. 1912.

F. Ahrens: Ein Beitrag zur Kenntnis der kolloiden Natur des Kautschuks. Chem. Ztg. **36**, 505—506, 1912 und Chem. Ztg. **36**. 995. 1912.

A. Wagner: Ein Beitrag zur Kenntnis der kolloiden Natur des Kautschuks. Chem. Ztg. **36**, S. 833, 1912 und **36**, S. 995. 1912.

R. Ditmar: Ein Beitrag zur Kenntnis der kolloiden Natur des Kautschuks. Chem. Ztg. **36**, S. 885, 1912 und **36**. S. 995. 1912.

Verwendet man in Kautschukmischungen Parakautschuk allein ohne andere Kautschuksorten, dann bemerkt man an der Oberfläche oder an Durchschnitten des Vulkanisates merkwürdige Flecken, welche in der Gummiindustrie „Paraflecken" genannt werden, weil man diese Erscheinung zuerst am Parakautschuk beobachtete. Die Oberfläche hat das Aussehen wie die Photographie eines Giraffenfelles kopiert auf einem Bromsilberpapier. Über die Ursache dieser Flecken ist man sich bisher noch nicht im klaren. F. Ahrens hält die Paraflecken für zusammengezogene Fragmente von zerstörten Schutzhüllen. Diese Auffassung scheint kaum haltbar zu sein.

Schutzhüllen enthalten alle Kautschuksorten. Keine Angabe in der Kautschukliteratur spricht dafür, daß man bloß im Parakautschuk das Vorhandensein von Schutzhüllen annehmen darf. Wäre die Ahrensche Auffassung richtig, dann müßten alle Kautschuksorten, auch die afrikanischen, Paraflecken geben, was aber nicht der Fall ist. Alle Untersuchungen sprechen dafür, daß gerade bei den Afrikanern noch mehr Schutzkolloide vorhanden sind als beim Parakautschuk. Schon dem höheren Harzgehalt dürfte eine größere Schutzwirkung zukommen, nachdem sehr harzreiche Sorten mehr Schwefel zur Ausvulkanisation brauchen, wie z. B. Guayule. Dead Borneo vulkanisiert überhaupt nicht allein und läßt sich nur als Zusatz zu Gummimischungen verwenden. Das Kautschukharz gehört bekanntlich zu den stabilisierenden Faktoren des dispergierten Kautschukmischungssystems und setzt der Fixierung des Systems durch die Vulkanisation großen Widerstand entgegen.

Synthetischer Kautschuk gibt die schönsten Paraflecken. Dieser besteht bloß aus reinem Kautschukkohlenwasserstoff und ist frei von allen Schutzkolloiden. Synthetischer Kautschuk enthält kein Harz.

Wohl ist der synthetische Kautschuk aber ein äußerst hoch aggregierter Kautschuk. Es ist kein Grund vorhanden, daß sich die Fragmente der zerstörten Schutzhüllen erst nach der Vulkanisation zu den Paraflecken zusammenziehen sollen. Die Zusammenziehung müßte schon beim Mastizi ren der Mischung auf der Mischwalze stattfinden, daher schon am kalandrierten, rohen Felle bemerkbar sein, was ebenfalls nicht den Tatsachen entspricht.

Sehr bemerkenswert für den Vorgang der Parafleckenbildung hingegen scheint mir der Umstand zu sein, daß nur hoch aggregierte Kautschuksysteme Paraflecken geben, niemals aber stark dispergierte.

Ich glaube, der Grund der Parafleckenbildung liegt viel weiter zurück, er liegt in der Vorgeschichte des Kautschuks, im Koagulationsprozeß. Auch mit den Liesegangschen Ringen und mit der Wabenstruktur haben die Paraflecken nichts zu tun. Der Parakautschuk wird aus dem Latex von Hevea brasiliensis gewonnen. Nach E. Fickendey variieren die Globuloide von 0,5—2 μ. Der Latex von Hevea brasiliensis stellt ein polydisperses System dar. Die Koagula der kleineren Globuloide werden disperser sein als die der größeren. Nennen wir die ersteren „Mikrokoagula", die letzteren „Makrokoagula". Die Mikrokoagula lösen sich leichter in den Kautschuklösungsmitteln als die Makrokoagula, was den Erscheinungen bei der Kautschukauflösung sehr gut entspricht, indem Parakautschuk manchmal sehr hartnäckig kleine Klümpchen in dem bereits stark aufgelösten Kautschuk zurückläßt, die sehr schwer in Lösung gehen. Bringen wir nun ein solches Polykoagulasystem auf die Mischwalze, dann müßten wir das System ungeheuer lange auf der Mischwalze durcharbeiten, um ein Homokoagulasystem zu erhalten oder mit anderen Worten, um die Makrokoagula so weit zu dispergieren, daß sie den Dispersitätsgrad der Mikrokoagula annehmen. Wir haben also eine Art Knotenbildung in der Mischung. Setzen wir jetzt zu dem Polykoagulasystem auf der Mischwalze Schwefel zu und walzen diesen als Suspension ein, dann muß sich der Schwefel in einem solchen Koagulasystem ungleichmäßig suspendieren, indem er mit den Mikrokoagula, als mit der stärker dispergierten Masse, leichter eine Suspension gibt als mit den Makrokoagula. Die Makrokoagula werden also weniger Schwefel suspendiert enthalten als die Mikrokoagula. An der Rohmischung wird infolgedessen nichts bemerkbar sein. Fixieren wir hingegen das System durch die Vulkanisation, dann muß die Parafleckenbildung eintreten und zwar deshalb, weil die Farbe des Kautschuks nach der Vulkanisation um so dunkler ist, je mehr Schwefel gebunden wurde. So ist die Farbe des Hartgummis schwarz, die des Weichgummis grau. Zwischen Weich- und Hartgummi liegen eine große Anzahl von Zwischenstufen und Zwischenfärbungen.

Auch der synthetische Kautschuk ist ein Polykoagulasystem, weil das Isopren verschiedene Polymerisationsstufen nebeneinander bildet. Eine einmal eingetretene Hochpolymerisation eines Teiles des Isoprens verhindert in der kolloid gewordenen Masse das Nachpolymerisieren des tiefer polymerisierten Teiles.

Bei von Natur aus stark dispergierten Kautschuken ist die Differenz in den Größen der Globuloide im Latex nicht so groß. Das Koagulat stellt zwar immer noch ein Polykoagulat vor, allein ein nicht so starkes wie bei den hochaggregierten Kautschuken. Auch hängt die Verteilung der Makro- und Mikrokoagula von der Anzahl der großen und kleinen Globuloide im Latex ab.

Die Parafleckenbildung ist also nicht wie F. Ahrens meint auf zusammengezogene Fragmente von zerstörten Schutzhüllen zurückzuführen, sondern die Paraflecken sind Stellen in der Kautschukmasse, die je nach der Farbe höher oder niedriger vulkanisiert sind als die Umgebungsmasse.

Daß der Rohkautschuk ein Polykoagulasystem vorstellt, ist eigentlich nichts Neues, nur daß man die Unhomogenität des Rohkautschuks früher anders ausgedrückt und aufgefaßt hat. So hat schon Schneider gezeigt, daß man durch gänzliche Auflösung des Gummis in Chloroform und darauffolgende dreimalige fraktionierte Ausfällung des eigentlichen Gummis verschiedenwertige Produkte erhält, welche er mit α-, β-, γ-Gummi bezeichnete, die alle Kautschukkohlenwasserstoffe darstellen und deren relativer Betrag sich in den verschiedenen Sorten ändert. Von diesen Produkten ist der α-Gummi bei weitem der beste Teil des Gummis, chemisch am meisten stabil und besitzt die größere Elastizität und Dehnungsfestigkeit. β-Gummi ist schon bedeutend schlechter als α-Gummi, ist veränderlicher, weniger elastisch, hat geringere Dehnungsfestigkeit und oxydiert leichter, während γ-Gummi bereits ein unerwünschter Teil des Gummis ist, welcher die wertvollen Eig nschaften von α- und β-Gummi aufzuheben imstande ist und leicht der Oxydation ausgesetzt ist.

Gegen die beiden Paraflecken-Theorien von F. Ahrens und R. Ditmar wendet sich A. Wagner. Er steht in seinen Anschauungen auf der vollkommen veralteten Basis von C. O. Weber und seinem Buche ,,The Chemistry of India Rubber". Außerdem erkennt er gar nicht Paraflecken, indem er diese mit Fehlfabrikaten, hervorgerufen durch einen zu großen Überschuß an freiem Schwefel, verwechselt. So behauptet A. Wagner gänzlich unrichtig, daß sich an jeder Kautschuksorte Paraflecken beobachten lassen, wenn im Vulkanisat ein genügender Überschuß an Schwefel vorhanden ist. Nachdem A. Wagner die Erscheinung der wirklichen Parafleckenbildung unbekannt ist, erübrigt es sich, auf seine Hypothese weiter einzugehen, die darauf hinausläuft, daß Paraflecken aus Schwefelauskrystallisationen bestehen. Gegen seine ganz unhaltbare Auffassung wenden sich F. Ahrens und R. Ditmar.

In einer sehr interessanten Privatmitteilung macht H. Klopstock (Berlin-Wilmersdorf) darauf aufmerksam, daß man auch bei roten Zahn-Hartgummimischungen leicht schwarze Flecken (Paraflecken) erhält, wenn man nur Paragummi verwendet. Setzt man der Mischung hingegen Rizinusöl hinzu, dann verschwinden die Flecken. Dies beweist aufs neue die Richtigkeit der Ditmarschen Parafleckentheorie, indem das Rizinusöl die Makrokoagula dispergiert und mit den Mikrokoagula homogenisiert. Auch F. Ahrens bestätigt die Tatsache, daß nur hoch aggregierte Kautschuke Paraflecken geben.

XVI. Die „Vorgeschichte des Kautschukkolloids" und sein „Altern".

H. Bechhold: Die Lebenskurve der Kolloide. Die Kolloide in Biologie und Medizin S. 65—67.
R. Zsigmondy: Irreversible Zustandsänderungen. Kolloidchemie S. 161—163.
R. Ditmar: Welchen praktischen Wert haben mechanische Prüfungen des Kautschuks. Kolloidzeitschr. 10, H. 5, S. 238—242. 1912.
E. H. Fröhlich: Beiträge zur mechanischen Prüfung von Kautschukwaren. Gummi-Ztg. 26, 1050—1053 und 1090—1094. 1912.
F. Cornu: Über Beziehungen der Gele in der anorganischen Natur zu den Gelen der lebendigen Substanz. Annalen d. Naturphilosophie 8, 329. 1909.
— Die heutige Verwitterungslehre im Lichte der Kolloidchemie. Kolloidzeitschr. 4, 291. 1909.
Königliches Materialprüfungsamt zu Berlin-Lichterfelde: Zur mechanischen Prüfung des Kautschuks. Kolloidzeitschr. 11, H. 3. 1912.

Eine bisher gänzlich unberücksichtigt gebliebene Erscheinung bildet die „Vorgeschichte" des Kautschukkolloids, von welcher der spätere Zustand desselben abhängig ist. Während Krystalloide bei Ausschluß von chemischen Veränderungen ihre physikalischen Eigenschaften bewahren, verändern sich Kolloide im Laufe der Zeit, wobei ihre Vorgeschichte z. B. die Koagulationsart des Latex, die Dispersion auf den Wasch- und Mischwalzen usw. von größter Bedeutung sein kann.

E. H. Fröhlich beobachtete, daß es sehr viele Faktoren sind, die den chemischen und physikalischen Zustand einer Weichgummiware, also die Eigenschaften der Ware bedingen. Er unterscheidet die Fabrikation in zwei Hauptteile, die Herstellung der Mischung und die Vulkanisation des Artikels. Jeder davon zerfällt wieder in eine Anzahl Unterstufen:

A. Mischung.

1. Kautschuk.
   a) Quantität desselben,
   b) Kautschuksorte,
   c) physikalischer Zustand, abhängig von der Bearbeitung auf der Walze.
2. Zusätze.
   a) Quantität derselben,
   b) Qualität derselben,
   c) Art derselben.
3. Eventuelle nachträgliche Bearbeitung der Mischung auf der Schlauchmaschine oder sonstigen den Kautschuk angreifenden Apparaten.

B. Vulkanisation.
1. Heißvulkanisation.
   a) Schwefelmenge,
   b) Temperatur,
   c) Zeitdauer,
   d) Wärmeaufnahmefähigkeit der Masse, abhängig von Dimension derselben und Qualität der Mischung,
   e) Wärmedurchlässigkeit der direkten Umgebung, ob frei geheizt oder in Talkum oder in Eisenform und dgl. mehr,
   f) Wärmeübertragungsfähigkeit des Mediums, ob Dampf, heiße Luft oder Wasser,
   g) Geschwindigkeit der Wärmezirkulation, besonders bei Dampf,
   h) eventuelle Pressung des Artikels.
2. Chlorschwefel-Vulkanisation.
   a) Konzentration der Lösung,
   b) Zeitdauer.

Das Endprodukt, die Kautschukware, stellt die Resultierende so vieler Komponenten vor, daß es kaum je möglich sein wird, mit mathematischer Sicherheit alle diese Komponenten theoretisch und praktisch fassen zu können.

Findet die Koagulation des Latex fehlerhaft statt, so daß der Rohkautschuk die Tendenz zum Leimigwerden in sich trägt, dann lassen sich trotzdem oft, wenn der Kautschuk rasch verarbeitet wird, recht schöne Vulkanisate gewinnen. Nach kurzer Zeit aber bricht die Tendenz zum Leimigwerden wieder durch und das Vulkanisat beginnt sich zum Schlechten zu verändern. Liegt einmal eine solche Tendenz zum Leimigwerden im Kautschukkolloid vor, dann tritt das Leimigwerden ein, sobald die äußeren Bedingungen dazu da sind, z. B. Licht, Wärme und Sauerstoff. Man könnte fast von einer hereditären Belastung, von einer „Disposition" des Kolloids dazu sprechen. Liegt hingegen im Kautschuk umgekehrt einmal Aggregationstendenz vor, dann bewahrt er sich diese Eigenschaft bis zum Tode seines Systems, welcher durch Oxydation oder Abnützung eintritt. Wenn man das System dann noch so sehr durch Bearbeiten auf den Walzen dispergiert, so wird es immer wieder der Aggregation zustreben.

Nachdem Kolloide metastabile Systeme vorstellen, so ist es begreiflich, daß sie sich mit der Zeit verändern müssen. Im allgemeinen wird beim Kautschuk die Tendenz vorliegen, aus einem labileren Zustand in einen stabileren überzugehen. Damit kommen wir zum „Altern" des unvulkanisierten und vulkanisierten Kautschukgels. Das Altern elastischer Gele besteht darin, daß diese ihre Elastizität verlieren. Der Gummipraktiker weiß, daß Kautschuk beim längeren Liegen hart und steif wird. Dies ist nicht zu verwechseln mit dem Brüchigwerden, was ein rein chemischer Vorgang, eine Oxydation ist. Das unvulkanisierte und vulkanisierte Kautschukgel verändert sich in bezug auf seinen physikalischen Zustand nicht erst im Laufe einer längeren Zeitperiode, es verändert sich sozusagen ununterbrochen. Nirgends paßt der Ausspruch des griechischen Philosophen Heraklit „Πάντα ῥεῖ" so gut, wie auf die Kolloide. Zer-

reißt man Ringproben im Schopperschen Apparate sofort nach dem
Kalandrieren, so geben sie ganz andere Resultate in bezug auf Dehnung
und Reißfestigkeit, als wenn man einige Tage später die gleiche O eration
mit dem gleichen Material durchführt. An jedem folgenden Tage verändert sich das disperse System. Diese Erscheinungen sind dem Praktiker wohlbekannt. Er läßt das Kautschukgel ruhen, um ihm wieder
Festigkeit zu geben, die es beim Verarbeiten auf der Walze durch Dispersion verloren hat. Die gleiche Erscheinung beobachten wir an dem
vulkanisierten Kautschukgel. Gleich nach der Vulkanisation zeigen
Ringproben einen ganz anderen Tragmodul und Festigkeitsmodul als
nach einigen Tagen. Von wesentlicher Bedeutung ist übrigens auch dabei
die Art der Vulkanisation, ob man im Vulkanisierkessel oder in der Vul-
kanisierpresse gearbeitet hat. Das disperse System ist sofort nach der
Verarbeitung am stärksten dispergiert, es ist am frischesten, am leben-
digsten. Allmählich tritt Aggregation ein, diese steigert sich immer mehr
und mehr, bis sie zur vollkommenen Unelastizität führt. Ein viele Jahre
gelegener Paraschlauch ist vollkommen hart geworden, wohl zu unterscheiden von der Brüchigkeit. Man kann das tote System aber wieder
zum Leben erwecken, wenn man den Schlauch vorsichtig dehnt und reibt,
dann tritt wieder die alte Elastizität in Erscheinung, das aggregierte
System geht wieder in das Dispergierte über. Wenn man sein Fahrrad
nach dem Winter in die Frühlingssonne zur ersten Fahrt bringt, da ist
die Gummilaufdecke steif und tot. Das Kautschukgel liegt noch im
Winterschlaf, erst die Wärme, die Expansion und Kontraktion, die durch
den Druck der Last ausgelöst werden, erwecken das Kolloid zu neuem
Leben. „Kautschuk hält sich am besten, wenn er viel strapaziert wird",
das ist eine alte Erfahrung der Automobilisten und Fachleute. Daß die
Lebenskurve von Kolloiden flacher und flacher (Alterserscheinungen)
wird, bis sie zum Tode des kolloiden Systems, also bis zur Unelastizität
führt, das ist das Schicksal aller Kolloide. Der allmähliche Übergang
in den amorphen oder krystallinischen Zustand führt zum Erstarren
des Systems. Auch die pflanzliche und tierische Zelle zeigt ähnliche
Erscheinungen, sie entquillt, sie altert (dürre Blätter, Verholzung, Zu-
sammenschrumpfen im Alter bei Tiere und Mensch).

R. Zsigmondy macht für die zeitigen Veränderungen des Gelbaues
zwei Vorgänge verantwortlich: 1. die Teilchenvereinigung und 2. das
Teilchenwachstum. Beide Vorgänge führen zu einer Vergrößerung der
Hohlräume und zu einer Verfestigung des Gelgerüstes. Das Altern des
Kautschukkolloids führt infolgedessen zu einer Verringerung der Ge-
samtoberfläche der Gelteilchen, zur Verringerung der Adsorptionsfähig-
keit und zur Verringerung des spezifischen Gewichtes. Die Viscosität
ist bei gealterten Kautschuken größer als bei jungen.

Die Nachvulkanisation des Kautschuks ist ebenfalls auf eine Alterserscheinung zurückzuführen, obwohl der eigentliche Vorgang selbst
rein chemischer Natur ist. Junge Vulkanisate vulkanisieren bekanntlich
rascher nach als ältere, weil bei einem dispergierten System leichter
chemische Anlagerung denkbar ist als an einem aggregierten.

Die mechanischen Prüfungsergebnisse am Kautschukkolloid als Atteste für die Industrie im Lichte der „Vorgeschichte des Kautschukkolloids" und im Lichte des „Alterns" desselben.

Die obigen Auseinandersetzungen drängen uns zur Frage: Ist unter diesen Umständen eine mechanische Prüfung des Kautschuks als Attest für die Industrie überhaupt möglich?" „Nein", muß die Antwort lauten. Man kann mechanische Prüfungen für Atteste nur an Substanzen vornehmen, die sich wenigstens für eine Reihe von Jahren gleichbleiben, also nur an stabilen Systemen. An einer gleichsam lebenden Substanz, ganz allgemein an einem Kolloid, lassen sich keine mechanischen Prüfungen vornehmen, welche irgendeinen Anspruch auf praktischen Wert als Atteste für die Industrie haben sollen. Es ist nicht gleichgültig, ob man das Kolloid heute oder morgen prüft. Die Resultate von heute gelten nicht für morgen, mithin haben sie keinen Dauerwert, sie lassen sich nicht verallgemeinern. Für ein Kolloid gibt es keine Konstanten, die den Zustand des Kolloids dauernd charakterisieren können.

Sehr wesentlich ist es also, daß von seiten der Materialprüfungsämter nicht die mechanischen Prüfungsmethoden von Krystalloiden auf Kolloide übertragen werden. Für Kolloide haben mechanische Prüfungen bloß theoretischen Wert. Auf diesem Gebiete zu forschen ist sehr interessant, weil man dadurch die kolloiden Veränderungen bestimmen kann. Für die Praxis sind mechanische Prüfungen des Kautschuks unanwendbar, weil das Kautschukkolloid eine Lebenskurve besitzt.

Ein Materialprüfungsamt bemerkte gelegentlich einer Kontroverse, daß es bei der Prüfung der mechanischen Eigenschaften von veränderlichen Körpern auch ihre Alterserscheinungen gebührend berücksichtige. In welcher Weise diese Berücksichtigung allerdings stattfindet, darüber gab dieses Amt keine Aufschlüsse. Es erscheint auch ganz unverständlich, in welcher Art eine solche Berücksichtigung vor sich gehen soll. Nehmen wir ein Beispiel aus der Kautschukindustrie. Ein Kautschuk wird aus dem Latex einer Pflanze durch Säurekoagulation gewonnen. Der Fabrikant erhält nun diesen Kautschuk, in welchem die Tendenz zum „Leimigwerden" vorliegt. Er verarbeitet ihn zu einem guten Vulkanisat, welchem vorläufig noch gar nicht anzumerken ist, daß der Dispersionsteufel in ihm steckt. Er läßt das Material mechanisch prüfen, und erhält ein gutes Attest. Auf Grund seines Attestes macht er Reklame. Eine zweite Firma tut das gleiche, nur mit einem Kautschuk, in welchem „Aggregationstendenz" vorliegt. Sie erhält vom Materialprüfungsamt ein gleichgutes Attest. Wie sieht nun die Sache in einem Jahr aus? Der eine Kautschuk ist vollkommen unbrauchbar geworden, das andere Vulkanisat hat sich glänzend erhalten. Beide Fabrikanten haben das gleiche Attest vom Materialprüfungsamt. Trifft damit den Fabrikanten des leimigen Vulkanisates ein Vorwurf? Kann man den Fabrikanten zwingen, sich über die Vorgeschichte seines kolloiden Rohproduktes zu informieren? Entschieden nicht. Wenn auch ganz große Werke

ihre eigenen Plantaenbesitzungen haben und damit dem Amte Angaben über die Vorgeschichte ihres kolloiden Rohproduktes vorlegen
können, so trifft dies nur in den allerseltensten Fällen zu. Wie berücksichtigt nun in solchen Fällen bei der mechanischen Prüfung des Kautschuks das Materialprüfungsamt die Vorgeschichte?

Ein anderer Fall. Eine Regenerationsfirma will ihr Regenerat mechanisch prüfen lassen, um mit dem „Nerv" ihres Produktes Reklame
zu machen. Es ist jedem Kautschukchemiker, der in seinem Leben einmal regeneriert hat, bekannt, daß das Regenerat, wenn es von den Walzen
kommt, ungeheuer dispergiert ist, aber im Laufe von einigen Monaten
wieder aggregiert. Die mechanischen Prüfungen hinsichtlich des Trag-
moduls differieren nun sehr wesentlich voneinander, je nachdem
ob das Regenerat zwei Tage oder zwei Monate nach der Walzenbehand-
lung geprüft wird. In welcher Weise zieht sich in diesem Falle das Materialprüfungsamt aus der Affäre? Wie kann aber vor allem das Materialprüfungsamt die Angaben eines Fabrikanten, der doch immer bestrebt
ist, möglichst gute Atteste zu erhalten, kontrollieren hinsichtlich der
Lebenskurve und der Zeit des Lagerns nach der Verarbeitung? Beim
besten Willen des Materialprüfungsamtes kann es so weit kommen, daß
es einem Fehlfabrikate direkt Vorschub leistet. In welcher Weise ist
dann der rechtliche Fabrikant nur einigermaßen vor Fehlattesten ge-
schützt?

Nehmen wir zu guter Letzt noch einen Fall aus der Praxis. Hinrichsen wies nach, daß sich jedes Kautschukvulkanisat infolge der
kolloiden Natur des Kautschuks durch Nachvulkanisation verändert,
indem ein Teil des adsorbierten und freien Schwefels allmählich in
chemische Bindung tritt. Diese Veränderungen finden schon nach
Tagen je nach der Lagerung des Kolloids statt. Es ist nun bekannt,
daß ein höher vulkanisierter (also nachvulkanisierter) Kautschuk in
der Regel, jedoch nicht immer größere Reißfestigkeit und einen größeren Abnützungskoeffizienten aufweist als ein nieder vulkanisierter.
Somit ist es wieder nicht gleichgültig, in welchem Zeitpunkte das Vulkanisat geprüft wird. In welcher Weise geht nun das Materialprüfungsamt in allen diesen Fällen vor?

Die Fälle liegen auch wirklich beim Kautschukkolloid
viel schwieriger als bei anderen Kolloiden, indem sich das Kautschukkolloid durch eine besondere Unstabilität schon in kürzerer Zeit
auszeichnet als andere Kolloide.

Wo. Ostwald glaubt die Möglichkeit mechanischer Prüfungen für
Atteste an Kolloiden dadurch erlangen zu können, daß man nicht ein
oder einige Zahlen, sondern ganze Zahlenreihen oder Tabellen mißt,
insbesondere solche, welche die Abhängigkeit mechanischer Eigenschaften von der Zeit darstellen. Er glaubt also an die Möglichkeit einer
mechanischen Prüfung und entsprechenden Definition auch von Kautschuk, jedoch nur unter der Bedingung, daß sich die Definition nicht
auf einzelne zu willkürlichen Zeiten gewonnene Zahlen stützt, sondern
daß für jede Zahl eine Zeitkurve mitgegeben wird, die m. a. W.

die Variation der betreffenden Probe mit der Dauer der Lagerung usw. angibt. Statt einer Zahl müßte eine ganze Tafel mit Kurven und Tabellen irgendeine mechanische Eigenschaft des Kautschuks charakterisieren.

Mit diesen Ausführungen Wo. Ostwalds muß man vom theoretischen Standpunkte aus vollkommen einverstanden sein. Wie wir aber aus früherem ersahen, stoßen wir da auf große Schwierigkeiten, welche praktisch nicht zu überwinden sind.

Es sei noch betont, daß man durchaus nicht gegen die mechanische Prüfung von Vulkanisaten im internen Betriebe einer Fabrik sein kann, wenn es sich um die Feststellung von Optima für die Fabrik selbst handelt. Hier können Vergleichsproben angestellt werden, weil der Fabrikant die Vulkanisate nach der gleichen Ruheperiode, unter gleichen Vorbedingungen usw. prüfen kann.

XVII. Kautschukstrukturen.

Gießt man in ein Reagensrohr eine 3,5 proz. Schwefelkohlenstoff-Ceylon-Parakautschuklösung und läßt man an der Wand der Eprouvette vorsichtig eine 6 proz. Schwefelchlorür-Schwefelkohlenstofflösung darauf fließen, dann taucht dieselbe unter die Kautschuklösung. Nach ganz kurzer Zeit bildet sich an der Grenzfläche der beiden Lösungen durch die Einwirkung des Schwefelchlorürs auf den gelösten Kautschuk eine Membrane (Fig. 20). Schon nach 2 tägigem Stehen reißt dieselbe kreisförmig von den Wandungen der Eprouvette los und das Schwefelchlorür dringt weiter in die kolloide Kautschuklösung vor, unter Bildung eines Kegelstumpfes (Fig. 19). Von Liesegangschen Ringen oder geschichteten Strukturen ist nichts zu bemerken. Nach längerem Stehen dringt das Schwefelchlorür immer weiter in die oberen Schichten der kolloiden Kautschuklösung ein, bis sich ein vollkommener Kegelstumpf ablöst, der frei in der Schwefelkohlenstofflösung schwimmt (Fig. 21), wobei die Schwefelkohlenstofflösung vollkommen kautschukfrei wird. Der gesamte Kautschuk scheidet sich also durch die Einwirkung des Schwefelchlorürs aus der Schwefelkohlenstofflösung als kalt vulkanisiertes Kautschuk-Schwefelkohlenstoff-Gel ab. Wendet man andere Konzentrationsverhältnisse der Kautschuk-Schwefelkohlenstofflösung an, dann erhält man das kalt vulkanisierte Kautschuk-Schwefelkohlenstoff-Gel in einer anderen Form, und zwar scheidet es sich aus verdünnten Lösungen in Form von Flocken, aus konzentrierten Lösungen in Form kompakterer Kegelstumpfen aus.

Taucht man einen Objektträger in ein 3,56 proz. Ceylon-Parakautschuk-Benzol-Sol und läßt das Lösungsmittel bei gewöhnlicher Zimmertemperatur durch Schwingen des Objektträgers in der Luft verdunsten, so erhält man auf beiden Seiten des Objektträgers ein sehr feines Kautschukhäutchen. Nun löst man auf der einen Seite des Objektträgers das Kautschukhäutchen herunter und betrachtet das andere unter dem Mikroskope bei 225facher Vergrößerung. Man sieht da die denkbar schönste Wabenstruktur (Fig. 16), wie sie J. M. van Bemmelen, O. Bütschli, W. B. Hardy und G. Quincke bei anderen Kolloiden beschreiben. Die Form dieser Wabenstruktur ist aber sehr wesentlich von der Art der Verdunstung des Lösungsmittels des Kautschuks abhängig. Sie wird am schönsten, wenn sich auf der Kautschukhaut durch Verdunsten des Lösungsmittels Tau bildet, sie hört gänzlich auf und geht in ein feines griesiges Gebilde (Fig. 17) über, wenn man den Objektträger nach dem Tauchen sofort in einen auf 40° C erwärmten Trockenschrank einlegt, so daß das Lösungsmittel ohne Taubildung verdunstet.

Verdunstet man die Lösungen verschiedener Kautschuksorten nach ein und derselben Methode, z. B. mit Taubildung, dann gibt fast jede Kautschuksorte eine andere Wabenstruktur. Die Form der Wabenstruktur ist also jedenfalls auch abhängig vom Gehalt an Harz, Pflanzeneiweiß usw. der betreffenden Kautschuksorte.

Einen wesentlichen Faktor in bezug auf die Wabenstrukturform bildet auch die Konzentration des Kautschuksol.

Unterwirft man die Wabenstruktur zeigenden Häutchen einer Kaltvulkanisation mit einer 6proz. Schwefelchlorür-Schwefelkohlenstofflösung, dann erhält man bei kurzer Tauchzeit (1—6 Sekunden) griesige Aggregate bei gleichzeitigem Verschwinden der ursprünglichen Wabenstruktur. Vulkanisiert man länger (20 Sekunden), dann kontrahiert das ganze Häutchen unter Faltenbildung (für das freie Auge sichtbar) und unter dem Mikroskope zeigt sich wieder eine deutliche, aber anders geartete Wabenstruktur (Fig. 18). Variiert man die Konzentration der Kaltvulkanisierlösung, dann zeigen sich wieder andere Formen.

Ähnliche Erscheinungen kann man auch bei der Heißvulkanisation beobachten, wenn man 100 ccm eines 3,56proz. Ceylon-Parakautschuk-Benzol-Sols mit 30 ccm einer 1proz. Schwefel-Benzollösung innig mischt, Präparate in der oben angeführten Weise taucht und dieselben dann im Trockenschrank vorsichtig vulkanisiert.

Fig. 18.

Fig. 17.

Fig. 16.

Ditmar, Kautschuk.

Verlag von Julius Springer in Berlin.

Physikalisch-chemische Tabellen von Landolt-Börnstein.

Vierte, umgearbeitete und vermehrte Auflage. Unter Mitwirkung zahlreicher Chemiker und Physiker herausgegeben von Prof. Dr. R. Börnstein (Berlin) und Prof. Dr. Walter A. Roth (Greifswald). 1912. Mit dem Bildnis H. Landolts.　　　　　In Moleskin gebunden Preis M. 56.—.

Naturkonstanten in alphabetischer Anordnung. Hilfs-

buch für chemische und physikalische Rechnungen, mit Unterstützung des Internationalen Atomgewichtsausschusses herausgegeben von Prof. Dr. H. Erdmann, Vorsteher, und Privatdozent Dr. P. Köthner, erstem Assistenten des Anorganisch-Chemischen Laboratoriums der Königlichen Technischen Hochschule zu Berlin. 1905.

In Leinwand gebunden Preis M. 6.—.

Lehrbuch der theoretischen Chemie. Von Dr. Wilhelm Vaubel.

Privatdozent an der Technischen Hochschule zu Darmstadt. Zwei Bände. Mit 222 Textfiguren und zwei lithographischen Tafeln. 1903.

Preis M. 32.—; in Leinwand gebunden M. 35.—.

Die physikalischen und chemischen Methoden der quantitativen Bestimmung organischer Verbindungen. Von

Dr. Wilhelm Vaubel, Privatdozent an der Technischen Hochschule zu Darmstadt. Mit 95 Textfiguren. Zwei Bände. 1902.

Preis M. 24.—; in Leinwand gebunden M. 26.40.

Anleitung zur quantitativen Bestimmung der organischen Atomgruppen. Zweite, vermehrte und umgearbeitete Auflage.

Von Dr. Hans Meyer, o. ö. Professor der Chemie a. d. Deutsch. Techn. Hochschule zu Prag. Mit Textfiguren. 1904.　　Gebunden Preis M. 5.—.

Analyse und Konstitutionsermittelung organischer Verbindungen. Von Dr. Hans Meyer, o. ö. Professor der Chemie an der

Deutsch. Techn. Hochschule zu Prag. Zweite, vermehrte u. umgearb. Auflage. Mit 235 Textfig. 1909. Preis M. 28.—; in Halbleder geb. M. 31.—.

Grundriß der anorganischen Chemie. Von F. Swarts, Professor

an der Universität Gent. Autorisierte deutsche Ausgabe von Dr. Walter Cronheim, Privatdozent an der Kgl. Landwirtschaftlichen Hochschule zu Berlin. Mit 82 Textfiguren. 1911. Preis M. 14.—; in Leinw. geb. M. 15.—.

Lehrbuch der analytischen Chemie. Von Dr. H. Wölbling, Dozent

und etatsmäßiger Chemiker an der Königlichen Bergakademie zu Berlin. Mit 83 Textfiguren und einer Löslichkeitstabelle. 1911.

Preis M. 8.—; in Leinwand gebunden M. 9.—.

Einführung in die Chemie. Ein Lehr- und Experimentierbuch von

Rudolf Ochs. Mit 218 Textfiguren und einer Spektraltafel. 1911.

In Leinwand gebunden Preis M. 6.—.

Einführung in die Mathematik für Biologen und Chemiker.
Von Professor Dr. **L. Michaelis,** Berlin. Mit 96 Textfiguren. 1912.
Preis M. 7.—; in Leinwand gebunden M. 7.80.

Höhere Mathematik für Studierende der Chemie und Physik und verwandter Wissensgebiete. Von **J. W. Mellor.** In freier Bearbeitung der zweiten englischen Ausgabe herausgegeben von Dr. Alfred Wogrinz und Dr. Arthur Szarvassi. Mit 109 Textfiguren. 1906. Preis M. 8.—.

Praktikum der quantitativen anorganischen Analyse. Von Professor Dr. **Alfred Stock** (Berlin) und Dr. **Arthur Stähler** (Berlin). Mit 37 Textfiguren. 1909. In Leinwand gebunden Preis M. 4.—.

Grundzüge der Elektrochemie auf experimenteller Basis. Von Dr. **Robert Lüpke.** Fünfte, verbesserte Auflage, bearbeitet von Professor Dr. Emil Bose, Dozent für physikalische Chemie und Elektrochemie an der Technischen Hochschule zu Danzig. Mit 80 Textfiguren und 24 Tabellen. 1907. In Leinwand gebunden Preis M. 6.—.

Praktikum der Elektrochemie. Von Professor Dr. **Franz Fischer,** Berlin, Vorsteher des elektrochem. Laboratoriums der Techn. Hochschule zu Berlin. Mit 40 Textfiguren. 1912. In Leinwand geb. Preis M. 5.—.

Stereochemie. Von **A. W. Stewart,** D. Sc., Lecturer on Stereochemistry in University College, London, Carnegie Research Fellow; formerly 1851 Exhibition Research Scholar and Mackay Smith, Scholar in the University of Glasgow. Deutsche Bearbeitung von Dr. Karl Löffler, Privatdozent an der Kgl. Universität zu Breslau. Mit 87 Textfiguren. 1908. Preis M. 12.—; in Halbleder gebunden M. 14.50.

Lehrbuch der Thermochemie und Thermodynamik. Von Professor Dr. **Otto Sackur,** Privatdozent an der Universität Breslau. Mit 46 Figuren im Text. Preis M. 12.—; in Leinwand gebunden M. 13.—.

Chemiker-Kalender. Ein Hilfsbuch für Chemiker, Physiker, Mineralogen usw. Von Dr. **Rud. Biedermann.** In zwei Teilen. Erscheint alljährlich. I. und II. Teil in Leinwand gebunden Preis zusammen M. 4.40. I. und II. Teil in Leder gebunden Preis zusammen M. 5.40.

Der Betriebs-Chemiker. Ein Hilfsbuch für die Praxis des chemischen Fabrikbetriebes. Von Fabrikdirektor Dr. **Richard Dierbach** (Hamburg). Zweite, verbesserte Auflage. Mit 117 Textfiguren. 1908.
In Leinwand gebunden Preis M. 8.—.

Taschenbuch für die anorganisch-chemische Großindustrie.
Von Professor Dr. **G. Lunge** (Zürich) und Privatdozent E. Berl (Tubize). Vierte, umgearbeitete Auflage. Mit 15 Textfiguren. 1907.
In Kunstleder gebunden Preis M. 7.—.

CPSIA information can be obtained
at www.ICGtesting.com
Printed in the USA
BVHW061405041118
532126BV00007B/309/P